Josely Carvalho

Diário de Imagens
Diary of Images

My dear Victoria,
with admiration,
friendship and
affection

Beijos Josely
2018

Rio de Janeiro •• New York | 2018

contracapa

A •• To

Joyce Cutler-Shaw

artista, mestre do desenho e da
solidariedade. Sem seu apoio, estas
páginas não teriam sido impressas.

artist, master of drawing and solidarity.
Without your support, these pages
would not have been printed.

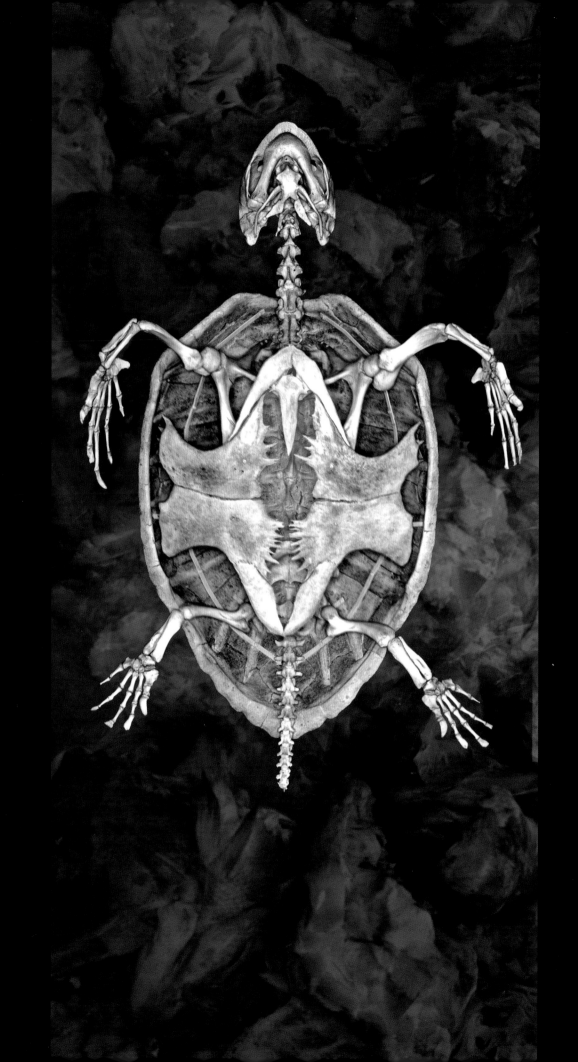

Sumário •• Contents

Tempos de Luto
It's Still Time to Mourn

Abrigos em Expansão
Expanding Shelters

À PARTE, DE UM TODO

Luiz Eduardo Meira de Vasconcellos

CHEGA-SE À VIDA QUE SE TORNARÁ PRÓPRIA, salvo casos excepcionais, em união com o abrigo no qual cada um de nós se forma. No mundo exterior a essa morada ou ninho, inicialmente esboçado por contrações, o caminho em que circulavam o sangue, os nutrientes e as trocas gasosas expõe-se a um corte pelo qual a respiração se porá em marcha, conferindo à separação dos corpos suas primeiras ressonâncias. No ser expulso de um interior revirado, restarão gravadas pela linguagem, mesmo se silenciosamente, heranças a conquistar. Identidade e gênero, não raro tomados como prerrogativas, devem ser assumidos, a despeito de referências culturais dominantes. Por todos, e não apenas pelos desassistidos, um a um. O coletivo e o individual, insuspeitos em inter-relações poucas vezes pacíficas, perseveram ambiguamente na personificação de mais uma jornada. Nome, sobrenome e a indistinção inerente aos seres humanos.

Às formas de introduzir um livro sobre a obra de um artista e de apresentar ao leitor, em imagens e palavras mudas, um mundo que se revelará pelo deslocamento e a condensação das contribuições de outros se acresce o risco de prescrever, em

Autorretrato •• *Self-portrait*, 2002
fotografia •• photography
264,1 x 121,9 cm

APART, FROM A WHOLE

Luiz Eduardo Meira de Vasconcellos

ONE ARRIVES IN A LIFE THAT WILL BECOME one's own, but for exceptional cases, in union with the shelter in which each of us is formed. In the world outside this residence or nest, at first delineated by contractions, the cord in which blood, nutrients and gas exchanges circulate exposes itself to a cut, after which breathing will begin to operate, conferring its first resonances on the separation of bodies. In the being expelled from an upside-down interior, there will remain, imprinted by language, even if silently, legacies to conquer. Identity and gender, not rarely taken as prerogatives, must be assumed, despite dominant cultural references. By all, and not only by the unaided, one by one. The collective and the individual, unsuspecting in inter-relations rarely peaceful, persevere ambiguously in the personification of another journey. Name, surname and the indistinctness inherent to human beings.

To the ways of introducing a book on an artist's work and presenting to the reader, in images and mute words, a world that will be revealed by the dislocation and condensation of the contributions of others, can be added the risk of prescribing, to the detriment of the promise of new meanings as to

#0001.Tracajá 39 [detalhe •• detail], 2002
fotolitografia, Createx e Rhoplex sobre papel
artesanal Kozo •• photolithography, Createx
and Rhoplex on Kozo handmade paper
182,88 x 121,92 cm
impressa na •• printed at Wildwood Press,
St. Louis, Missouri
Coleção •• Collection Julia P. & Horacio Herzberg

12

what is seen and read, an interpretive ambit, whose presence, without equivocating past certainties, accentuates its own errors. In an introduction like this, therefore, one faces the temptation to anticipate, order, restrict, and even normatize the supposedly expected effects which one will meet or see again in the pages that follow it, an impulse in the name of which I will make myself appropriate the words of the artist herself throughout her career, initiated, when still a child, by drawing and painting. Such an appropriation, incidentally a task experimented and carried out conveniently or not by each living creature from the moment of their arrival in the world, does not occur here without the recognition that a significant part of our imagination is guided by an inner voice made up of words from other people, which impresses us and ends up conforming itself as the impression that maps the ways in which we usually behave. Our impressions crushed underfoot by the words of others, the voice inappropriate to the image we have of ourselves.

I do not thus refer to the person who speaks in this initial piece. I try not to find myself inside or outside it, in the same way that one does not wait for the foresight of an author in search of their interpreters. Neither here nor there, a motto or refrain one can resort to enunciate one of the constructive principles observed by Josely Carvalho. In her poetics, so that the work can be presented, and this in two ways, so that it can come to pass and make itself known, it is vital to question and redefine frontiers erected by the attribution of absolute realities to relations ever relative and dependent on affection and its destinies. Even the memories, reminiscences and flashes of memory, courageously and patiently added to each series

of new works, want to be intelligible in the face of the gravitation of forgetting, of repressing, of oppressing or of exterminating. It is important, above all, that they are updated, that is to say, become newly present in a communal transition enriched by what the public feels and says about them. I hope, as can be deduced from what has been stated, that the information archived in these pages does not diminish, before it renews the immemorial fund of deference to the spirit of the sharing of all the personal experiences lived.

In a manner consistent with the constructive principle discussed earlier, the diverse writings that Josely brings to existence in her art-making have not resorted to the imperatives and interdictions of the mother tongue to which we are accustomed, but to a libertarian vocation found in another language that we might learn and speak. Arriving in the United States in 1964, and with her life soon touched by complicity with the Spanish language and motherhood, it was English that she availed of to compose those poetic, nuanced, diligent writings partially reproduced here. According to her remembrances, what was important was the freedom to transform words learned, to invent new compositions, a freedom favored by the distancing of concepts and the vision of a world previously learned in Portuguese; a freedom later transmuted into a productive bilingualism, whose centrality in her career is alluded to in the sequence by which, in this order, the texts by Julia P. Herzberg, Lucy R. Lippard, Katia Canton, Ana Mae Barbosa, Paulo Herkenhoff, Ivo Mesquita and Arlindo Machado were arranged: the odd-numbered pages contain the original versions in the language in which they were written; the even-numbered pages contain their translations.

prejuízo da promessa de novos sentidos ao que se vê e lê, um âmbito interpretativo cuja presença, sem equivocar certezas pretéritas, acentue os próprios equívocos. Numa introdução como esta, portanto, enfrenta-se a tentação de antecipar, ordenar, restringir e mesmo normatizar os efeitos supostamente esperados do que se conhecerá ou se reverá nas páginas que a ela se seguem, impulso em nome do qual me farei apropriar das palavras da própria artista ao longo de sua trajetória, iniciada, ainda criança, pelo desenho e a pintura. Tal apropriação, de resto tarefa experimentada e realizada convenientemente ou não por cada vivente desde a sua chegada ao mundo, não se dá aqui sem o reconhecimento de que parte significativa de nossa imaginação se guia por uma voz interior que, constituída de palavras de outras pessoas, impressiona-nos e acaba por conformar-se como a impressão que cartografa os modos com que normalmente nos comportamos. As próprias impressões calcadas por palavras alheias, a voz imprópria à imagem de que se é presa.

Já não me refiro, assim, a quem fala nesta peça inicial. Procuro não encontrar-me dentro ou fora dela, bem como não se aguarda a providência de um autor em busca de seus intérpretes. Nem aqui, nem lá, mote ou divisa a que se pode recorrer para enunciar um dos princípios construtivos observados por Josely Carvalho. Em sua poética, para que a obra se apresente, e isso de duas formas, para que sobrevenha e para que se faça conhecer, é visceral interrogar e redefinir fronteiras erigidas pela atribuição de realidades absolutas a relações sempre relativas e dependentes do afeto e seus destinos. Mesmo as lembranças, as reminiscências e as cintilações da memória, corajosa e pacientemente agregadas a cada série de

novos trabalhos, querem-se inteligíveis em face da gravitação do esquecimento, do cerceamento, do jugo ou do extermínio. Importa, sobretudo, que elas se atualizem, vale dizer, tornem-se novamente presentes numa transmissão comunitária enriquecida pelo que o público sente e diz a seu respeito. Torço, como se pode depreender do afirmado, para que as informações arquivadas nestas páginas não minorem, antes renovem o fundo imemorial de deferência ao espírito de compartilhamento de toda experiência pessoal acontecida.

De maneira coerente com o princípio construtivo há pouco elencado, os diversos escritos que Josely fez existir em sua obra se serviram não dos imperativos e das interdições da língua materna a que somos acostumados, e sim da vocação libertária encontrada numa outra língua que eventualmente aprendemos e falamos. Chegada aos Estados Unidos em 1964, e com a vida logo perpassada pela cumplicidade com a língua espanhola e a maternidade, foi da língua inglesa que se valeu para compor tais escritos de matiz e empenho poéticos, aqui parcialmente reproduzidos. Segundo sua rememoração, importava a liberdade de transformar palavras aprendidas, de inventar novas composições, favorecida pelo distanciamento dos conceitos e da visão de mundo previamente aprendidos em português; liberdade posteriormente transmutada num bilinguismo produtivo, a cuja centralidade em sua trajetória se alude com a sequência pela qual, nesta ordem, os textos de Julia P. Herzberg, Lucy R. Lippard, Katia Canton, Ana Mae Barbosa, Paulo Herkenhoff, Ivo Mesquita e Arlindo Machado se dispuseram: nas páginas ímpares, encontram-se suas versões originais, na língua em que foram escritos; nas pares, suas traduções para o português ou para o inglês.

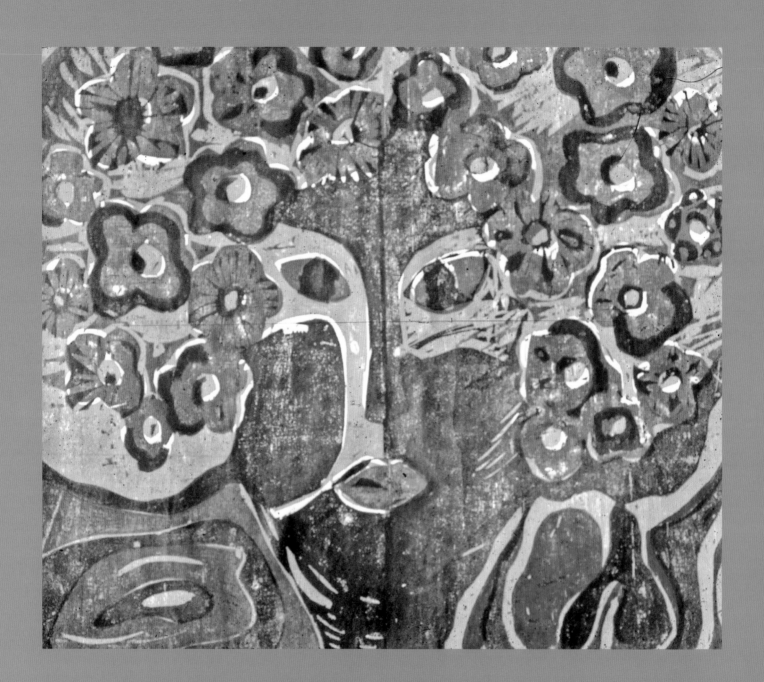

No que toca à produção visual em sentido estrito, desde as primeiras gravações em pedra e madeira, nos anos 1960, e em tela, em 1970, apreende-se um mundo densamente povoado por pássaros, peixes e, posteriormente, tartarugas, de que a existência, muitas vezes, manifesta-se pelo grito ou, em sentido inverso, por um recolhimento prenhe de metamorfoses intuídas, no qual ninhos e abrigos são também casulos de questões a serem mais uma vez formuladas ou ainda retomadas em sua continuidade não derruída pelo corte original. Nessa ótica, pode-se dizer que às impressões do mundo corresponde, a cada vez, uma transparência ou opacidade de um fazer em camadas, outra maneira de compreender um pegar, fatiar e largar, ou um aproximar-se, fundir-se e afastar-se, perpassado de entrega e autonomia, dedicação e resguardo.

Pois bem, cabe-me noticiar as palavras de Josely Carvalho sobre as séries de obras alcançadas por este livro dividido em três seções – Na Forma da Mulher, Tempos de Luto e Abrigos em Expansão –, sem o que retornaria à disposição de ânimo enodoada pela suspeita de, nomeando o acessório, dizer mais que o necessário, do qual não se deve prescindir. São dela as palavras, numa sintaxe decorrente do que intento dizer, razão pela qual se preveem dissonâncias e recomposições. Mas não muitas, espero, haja vista tencionar igualmente a aurora que, vez ou outra, anuncia-se de leituras renovadas. Um acaso, uma frase inaudita, um invisível vislumbrado, apenas um deles terá valido o encargo de pôr-se à frente dos que se devem contar nesta reunião de apreciações sobre a artista revista à luz de sua obra.

Em Na Forma da Mulher, após a passagem por pássaros e peixes em diferentes técnicas de desenho e gravura, o feminino dá início à sua expansão num duplo movimento: em direção às entranhas e rumo à coletividade. Os contornos do corpo da mulher delineiam, a um só tempo, a geografia da investigação e os mapas a serem arquitetados, ao passo que fragmentos da experiência se deixam documentar pela câmera fotográfica e perseverar pela serigrafia. *Smell of Fish* | *Cheiro de peixe* (1984–1985) dá voz ao desejo feminino, historicamente moldado por preconceitos, moralismos e falsas mitologias. Lembranças infantis de Josely Carvalho se ligam ao som da voz de sua avó, dizendo-lhe: "Vá tomar banho ou você vai cheirar a bacalhau!", e assim evocam experiências semelhantes em várias culturas. O pássaro em voo berra "mea culpa" e a retomada de seu passado adquire nova expressão. *Connections Project* | *Conexus* (1985–1987), obra feita em colaboração com Sabra Moore, germinada pelos fios tecidos de uma identidade reconstruída entre o Brasil e os Estados Unidos, abarca cartas e informações trocadas entre 150 artistas cujas histórias de vida se encontravam referidas a esses dois países. Em seguida, vê-se a tartaruga tornar-se uma metáfora da cidadania exercida pela artista em *She is Visited by Birds and Turtles* | *A visita dos pássaros e das tartarugas* (1987–1990). A tartaruga, ao caminhar pelas montanhas e nadar pelos mares, simboliza o hibridismo de sua identidade, incorporado por meio de conflitos de classe, raça e gênero culturalmente impostos. Assim, a artista pode carregar sua casa em seu corpo e inscrever sua história em sua carapaça. Paralelamente, *In the Name of the Birds, the Fishes and the Turtle* | *Em nome dos pássaros, dos peixes e da tartaruga* (1987–1994) recompõe, em diferentes técnicas, fragmentos como metáforas das vozes que cada um de nós representa em diferentes etapas da vida. A consciência de que toda leitura é distorcida

Concerning visual production in a strict sense, from the first engravings on stone and wood, in the 1960s, and silkscreen, in 1970, a world densely populated by birds, by fish, and later, by turtles is captured, whose existence, very often, is shown by the scream or, inversely, by a pregnant gathering of intuited metamorphoses in which nests and shelters are also capsules of questions to be once again formulated or even resumed in their continuity that was not demolished by the original cut. From this perspective, it can be said that to the impressions of the world there corresponds, to each one, a transparency or opacity of an art construction in layers, another way of understanding a capturing, slicing and unhanding, or an approximating, a fusing and a withdrawing, touched by surrender and autonomy, dedication and sheltering.

Well, it falls to me to divulge Josely Carvalho's words on the series of works covered by this book, divided into three sections: In the Shape of a Woman; It's Still Time to Mourn; and Expanding Shelters Otherwise I would go back to an entangled state of mind stained by the suspicion of, naming the embellishment, saying more than the necessary, which must not be shunned. The words are hers, in a syntax springing from what I intend to say, for which reason dissonances and recompositions can be predicted. But not many, I hope, seeing that my intention is equally for a new dawn, which, at one time or another, is announced in renewed readings. A chance, an unheard phrase, an invisible glimpse, just one of those will have made it worthwhile for the duty of putting myself in front of those who should be counted in this reunion of appreciations of the artist reviewed in the light of her work.

In Na Forma da Mulher, after the passage by birds and fish in different drawing and engraving

PÁGINA •• PAGE 16

Autorretrato •• *Self-portrait*, 1965
xilogravura •• woodcut
55,8 x 60,9 cm

PÁGINA •• PAGE 21

Sem título •• Untitled, 1975
serigrafia, nanquim e aquarela sobre papel ••
silkscreen, Indian ink and watercolor on paper
76,5 x 56,5 cm

Tigresa •• *Tigress*, 1965
xilogravura •• woodcut
40,6 x 53,3 cm

por interpretações inseridas em contextos culturalmente diversos informa a tentativa de compreender as razões da destruição da natureza e de sociedades e culturas por outras mais poderosas. Por fim, *The Body is My Country | O corpo é meu país* (1990–1991) retoma o conceito de cidadania, reformulando-o numa narrativa pessoal. Em seus poros, subjaz a exclusão cultural vivenciada por milhares e milhares de pessoas nos Estados Unidos. O corpo da artista, em meio a um processo no qual se rasura a assunção de uma determinada nacionalidade, torna-se um santuário ou membrana de proteção, bem como representação cartográfica de sua própria descolonização. A dupla condição de cidadã e de estrangeira conforma a retomada de uma identidade transfigurada pela própria narrativa.

Tempos de Luto, a segunda seção do livro, principia com o desabrigo causado por estupros e violações, e *From the Memory Books of Underdevelopment | Dos livros-memória do subdesenvolvimento* (1983). Imediatamente, veem-se obras realizadas após a invasão do Iraque pelos Estados Unidos em 16 de janeiro de 1991 e o televisionamento da antissepsia bélica dela originada, desprovida de sangue, agonia ou mortes. Apenas clarões e relâmpagos, como se fossem fogos de artifício iluminando a noite em Bagdá. Meninos embalados pela cola na Praça da Sé, em São Paulo, ou pagando pelo direito de dormir nas ruas da cidade do Rio de Janeiro, e meninas prostituindo-se para sobreviver no Recife, ao mesmo tempo que o material escolar era substituído por armas em diferentes lugares dos Estados Unidos, ancoram as reflexões que buscam interpretar a captura do brincar pela barbárie e a crueza do real nas diferentes versões

techniques, the feminine initiates its expansion in a dual movement: in the direction of the entrails and towards collectivity. The contours of the woman's body delineate, at once, and the same time, the geography of investigation and the maps to be constructed, while fragments of the experience allow themselves to be documented by the camera and preserved by silkscreen. *Smell of Fish | Cheiro de peixe* (1984–1985) gives voice to feminine desire, historically molded by prejudices, moral values and false mythologies. Josely Carvalho's childhood memories are connected to the voice of her grandmother, telling her: "Go and take a bath or you'll smell of codfish!", and thus evoke similar experiences in various cultures. The bird in flight screeches "*mea culpa*" and the reoccupying of her past acquires new expressions. *Connections Project | Conexus* (1985–1987), a work carried out in collaboration with Sabra Moore, germinated by woven threads of an identity reconstructed between Brazil and the United States, encompasses letters and information exchanged between 150 artists whose life stories had reference to these two countries. Following this, one sees the turtle becoming a metaphor of citizenship exercised by the artist in *She is Visited by Birds and Turtles | A visita dos pássaros e das tartarugas* (1987–1990). The turtle, on walking through the mountains and swimming through the seas, symbolizes the hybridism of identity, incorporated through culturally imposed conflicts of class, race, and gender. Thus, the artist can carry her home on her body and inscribe her story on her shell. In parallel, *In the Name of the Birds, the Fishes and the Turtle | Em nome dos pássaros, dos peixes e da tartaruga* (1987–1994) recomposes, in different techniques, fragments

as metaphors of the voices that each one of us represents at different stages of life. The awareness that all reading is distorted by interpretations inserted in culturally diverse contexts recounts the attempt to understand the reasons for the destruction of nature and societies and cultures by others that are more powerful. Finally, *The Body is My Country | O corpo é meu país* (1990–1991) takes up once more the concept of citizenship, reformulating it in a personal narrative. In her pores, runs the cultural exclusion experienced by thousands and thousands of people in the United States. The body of the artist, in the midst of a process in which the assumption of a determined nationality is scratched, becomes a sanctuary or protective membrane, as well as a cartographical representation of her own decolonization. The dual condition of being citizen and foreigner shapes the resumption of an identity transfigured by the narrative itself.

It's Still Time to Mourn, the second section of the book, begins with the homelessness caused by rapes and violations, and with *From the Memory Books of Underdevelopment | Dos livros-memória do subdesenvolvimento* (1983). These are followed by works carried out after the invasion of Iraq by the United States on January 16, 1991 and the televising of the anti-septic war originating from it, deprived of blood, agony or deaths. Just glaring lights and flashes, as if fireworks were lighting up the Baghdad sky. Boys stupefied by glue in São Paulo's Praça da Sé, or paying for the right to sleep in the city streets of Rio de Janeiro, and girls prostituting themselves to survive in Recife, at the same time as school material was replaced by weapons in different places in the United States anchor the reflections that seek to interpret the seizure of play by barbarity

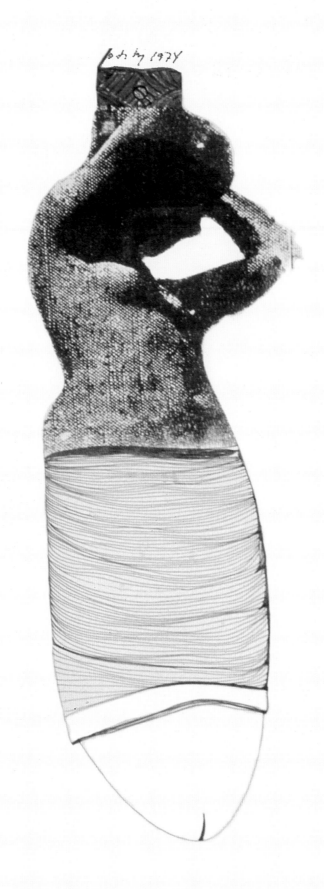

da instalação *Cirandas* (1993–1994). *Memorial Armênia | Memorial Armenia* (1995–2005), obra pública erguida na estação Armênia do metrô da cidade de São Paulo, relembra o primeiro genocídio do século XX, ocorrido durante a Primeira Guerra Mundial, em que mais de um milhão e meio de armênios foi exterminado ou teve de sair da Turquia. Nela, duas placas de vidro jateado suportam inscrições, em armênio e em português, do primeiro texto conhecido da história oral desse povo, acrescendo à apreciação da obra uma menção indireta às camadas de sentido suplementadas por seus integrantes ao longo dos séculos. Encerra a segunda subdivisão da publicação *Desencantando Salmu | Disenchanting Salmu* (2007), instalação feita na Pinacoteca do Estado de São Paulo, em que a artista se apropria de imagens de tabletes de barro com inscrições cuneiformes, produzidos na antiga Mesopotâmia, atual Iraque, muitos dos quais, após a já mencionada invasão dos Estados Unidos, saqueados do Museu do Iraque e de vários sítios arqueológicos.

A terceira e última seção do livro, Abrigos em Expansão, é principiada por *Livro das telhas | Book of Roofs*, projeto no formato de livro aberto, com três mil páginas-telhas numeradas, tanto físicas quanto virtuais, iniciado em 1994 e ainda em desenvolvimento na Internet. Inspirado pelo processo de modelagem, empilhamento e colocação de telhas de barro visto por Josely Carvalho em Morro de São Paulo, no estado da Bahia, dele destaca-se o sentido comunitário que o estrutura e incorpora vários significados da noção de abrigo. Protagoniza-o Tracajá, avatar da artista surgido na década de 1980, que ocupa sua primeira página. Essa pequena tartaruga, originária

da bacia amazônica e em processo de extinção, carrega consigo a própria ambiência, deslocando-se pelas frestas de diferentes lugares e reconfigurando as interseções entre vida e morte, natureza e cultura, sonho e realidade, e arte e vida cotidiana.

Em suas andanças, Tracajá acabou por dar corpo a um ninho despertado pela emoção de tocar e cheirar paisagens esquecidas ou desconhecidas, e esse ninho, uma vez tecido, revelou não apenas sua translucidez, como também o encontro de centenas e centenas de galhos moldados em resina e trançados sobre o fundo da frágil, porém efetiva estabilidade arquitetônica empregada pelos pássaros na feitura de seu abrigo. As oito páginas finais deste diário de imagens, entrecortado pelos nove textos críticos que o acompanham, documentam quatro montagens de tal ninho, às quais, na gravura reproduzida e encartada na segunda orelha deste livro, enxertou-se um dos cheiros que se libertaram de sua materialização, esgueiraram-se pelas dobras originadas no encontro dos corpos humanos e, hoje, entregam-se, em sua volatilidade, ao presente: *Architectando: ninho de Elias | Architectando: Elias' Nest* (2009), no Museu de Arte Contemporânea da Universidade de São Paulo; *Nidus vitreo* (2010–2011), no Museu Nacional de Belas Artes, no Rio de Janeiro; *Passagens | Passages* (2011), no Serviço Social do Comércio (Sesc) da cidade de São Carlos, em São Paulo; e *Uru-ku: as disciplinas esquecidas | Uru-ku: the Forgotten Disciplines* (2012), na Galeria de Arte Casarão, na cidade de Viana, no Espírito Santo. Com esse cheiro, portanto, enuncia-se um novo cotidiano, cujos acontecimentos, codificados em sua origem pelas narrativas aqui reunidas, agregam a ele o ritmo sob o qual respira o substrato imemorial de sua perenidade.

and the cruelty of the real in the different versions of the installation entitled *Cirandas* (1993–1994). *Memorial Armênia | Memorial Armenia* (1995–2005), a public work constructed in the Armenia Metro Station in São Paulo, recalls the first genocide of the 20th century, which took place during the First World War, in which more than one and a half million Armenians were exterminated or had to leave Turkey. In this work, two etched glass panes bear inscriptions in Armenian and in Portuguese, from the first known text on the oral history of this people, adding to the appreciation of the work an indirect mention to the layers of meaning supplemented by its members over the centuries. The second subdivision of the publication ends with *Desencantando Salmu | Disenchanting Salmu* (2007), an installation mounted at the Pinacoteca do Estado, São Paulo, in which the artist appropriates images and clay tablets with cuneiform inscriptions, produced in ancient Mesopotamia, today's Iraq, many of them, after the above-mentioned invasion by the United States, looted from the Iraq Museum and various archeological sites.

The third and final section of the book, Expanding Shelters, starts with *Livro das telhas | Book of Roofs*, a project in the form of an open book, with three thousand numbered pages-tiles, both physical and virtual, begun in 1994 and still being developed on the Internet. In this project, inspired by the process of molding, piling up and positioning the tiles, seen by Josely Carvalho in Morro de São Paulo, Bahia state, what stands out is the community sense that structures it and incorporates various meanings of the notion of shelter. Tracajá is the protagonist, an avatar of the artist that appeared in the 1980s, which occupies its first page. This tiny turtle, from the Amazon

Basin and under threat of extinction, carries its own environment with it, moving through cracks from different places and reconfiguring the intersections between life and death, nature and culture, dream and reality, art and daily life.

On its travels, Tracajá ended up giving body to a nest awoken by the emotion of touching and smelling forgotten or unknown landscapes, and this nest, once woven, revealed not only its translucency but also the encounter of hundreds and hundreds of branches molded in resin and interlaced over the base of the fragile, though effective, architectural stability used by the birds in the construction of their shelters. The final eight pages of this diary of images, alternating with the nine critical texts that accompany it, document four montages of such a nest. On a card on the back flap of the book, a reproduction of a unique silkscreen emanates one of the smells produced by the artist, a smell that freed itself from the artist's nest, stole through the folds originating in the meeting of human bodies and, today, in its volatility, gives itself up to the present: *Architectando: ninho de Elias | Architectando: Elias' Nest* (2009), at the Museum of Contemporary Art, University of São Paulo; *Nidus vitreo* (2010–2011), at the National Museum of Fine Arts, Rio de Janeiro; *Passagens | Passages* (2011), at Sesc [Serviço Social do Comércio] in the city of São Carlos, São Paulo state; and *Uru-ku: as disciplinas esquecidas | Uru-ku: the Forgotten Disciplines* (2012), at Casarão Art Gallery, in the city of Viana, Espírito Santo. With this smell, therefore, a new quotidian is enunciated, whose events, codified in its origin by the narratives collected here, add to it the rhythm in which breathes the immemorial substratum of its perenniality.

Na Forma da Mulher

In the Shape of a Woman

Aporia

1962
prova d'artista

fim do mundo   john. 1962

Agonia •• *Agony*, 1962
ponta-seca •• drypoint
34,5 x 24,7 cm

Fim do mundo ••
End of the World, 1962
ponta-seca •• drypoint
14,6 x 19 cm

Sem título •• Untitled, 1962
xilogravura •• woodcut
33 x 10,1 cm

À DIREITA •• RIGHT

Pássaros em movimento ••
Falling Birds, 1962
nanquim sobre papel ••
Indian ink on paper
33 x 33,6 cm

série: pássaros em movimento 02   porty 1962

Sem título •• Untitled, 1962
litografia •• lithography
53,3 x 38,7 cm

AN OVERVIEW

Julia P. Herzberg

PÁGINAS •• PAGES 34, 37
Evento público e interativo de serigrafia, como artista em residência na comunidade de Arlington, Virginia. Projeto premiado pela National Endownment for the Arts •• Silkscreen public interactive event as a community artist-in-residence in Arlington, VA, a pilot-project grant from the National Endowment for the Arts, 1974

JOSELY CARVALHO REFERS TO HER BODY OF work as a *Diary of Images*, the visual counterpart of the literary genre of diary or journal. The diary consists of many separate but interrelated series of images, which she calls "chapters," each of which explores specific theme. The artist's work belongs to a long tradition of art in which social and political concerns are central to creative expression. From the mid-1970s to the early 1980s, much of Carvalho's work was community-oriented. During those activist years, Carvalho organized several community art projects. Those experiences have shaped her work with the result that an engagement with social and political issues is the matrix for her artistic production.

In this country Carvalho first began working with community groups in 1975–1976 as an artist-in-residence in an Arlington, Virginia, county program. In an effort to make printmaking accessible to a broad community of teenagers, adults, and senior citizens who had had no previous art experience, Carvalho developed easy and inexpensive silkscreen techniques.[1]

The following year, the artist took her ideas for community art to New York, where she began

UM PERFIL

Julia P. Herzberg

JOSELY CARVALHO SE REFERE AO CONJUNTO de sua obra como *Diário de imagens*, contrapartida visual do diário como gênero literário. Esse diário é formado por várias séries de imagens, a um tempo, independentes e inter-relacionadas, que ela chama de "capítulos", cada um dos quais com um tema específico. Sua obra faz parte de uma longa tradição artística, em que os interesses sociais e políticos têm papel central na expressão criativa. De meados dos anos 1970 até o início dos anos 1980, muito de seu trabalho esteve voltado para comunidades. Durante esses anos de militância, organizou vários projetos artísticos coletivos. Essas experiências moldaram seu trabalho, de tal modo que o engajamento sociopolítico se tornou a matriz de sua produção artística.

Nos Estados Unidos, Josely Carvalho começou a trabalhar com grupos comunitários em 1975–1976, na condição de artista residente em Arlington, na Virgínia. Com o intuito de tornar a serigrafia acessível a adolescentes, adultos e idosos sem experiência artística prévia, desenvolveu técnicas simples e baratas.[1]

No ano seguinte, ela levou suas ideias sobre arte comunitária para Nova York, onde se tornou artista

residente na igreja St. Marks in-the-Bowery. Lá, concebeu e desenvolveu o *Projeto Silkscreen* (1976–1988), cujo objetivo era ensinar técnicas coletivas de impressão serigráfica a diversas comunidades e grupos políticos, a fim de que pudessem fazer faixas, pôsteres e murais para passeatas e manifestações.[2] O uso de processos serigráficos simplificados permitia a esses grupos criar várias faixas diferentes em oficinas de duas a três horas de duração.[3] Esse projeto logo se tornou fundamental para as atividades políticas comunitárias. Na Marcha pelo Desarmamento Nuclear, ocorrida em junho de 1982, mais de cem grupos se uniram para confeccionar cerca de quatrocentas faixas durante um período de dois meses. Camisetas, pôsteres, estandartes e "murais ambulantes" foram produzidos coletivamente e, em seguida, identificados com o nome do *Projeto Silkscreen*. Na ocasião, Josely fez uma das faixas, que é uma das poucas obras suas realizadas durante esse período, caracterizado pela natureza coletiva das iniciativas. Infelizmente, há pouca documentação visual das oficinas e dos eventos, para os quais esses objetos foram criados. Considerados efêmeros, foram quase sempre descartados após terem sido usados.

No começo dos anos 1980, as atividades de Josely na igreja St. Marks in-the-Bowery já haviam atraído a atenção de profissionais politicamente engajados. Em reconhecimento de sua liderança em projetos públicos de arte, ela foi convidada a participar da United Nations Mid-Decade Conference on Women, realizada em Copenhague.[4] Essa conferência foi concebida como resposta à discriminação enfrentada pelas artistas e também à ausência de reconhecimento de que a sobrevivência política, social e econômica destas era fundamental para todas as mulheres em todas as culturas. Josely participou de um debate e ministrou um *workshop* de dois dias sobre as técnicas serigráficas desenvolvidas na igreja de St. Marks in-the-Bowery. O assunto de seu *workshop* "se concentrou na sobrevivência de mulheres criativas e no crescimento de sua arte como visão do feminismo no mundo".[5] Durante a oficina, um grupo imprimiu coletivamente diversas faixas de grandes dimensões, que foram utilizadas em um protesto contra um então recente golpe de Estado na Bolívia. Nessa ocasião, Josely teve a primeira oportunidade de trocar ideias com feministas brasileiras e estabelecer um contato que saberia ampliar de diferentes maneiras nos anos seguintes.

No fim de 1981, ela foi convidada a voltar a São Paulo, para ensinar a líderes das Comunidades Eclesiásticas de Base e do Partido dos Trabalhadores a confecção de faixas serigráficas para suas atividades políticas. Esses líderes, após terem aprendido o processo, foram capazes de ensinar às suas comunidades as muitas potencialidades da serigrafia para a *agitprop art*.[6]

Foi durante essa experiência que Josely se deu conta de que precisava se envolver mais ativamente com as comunidades políticas e culturais brasileira, bem como destinar mais tempo à sua própria arte. A Marcha pelo Desarmamento Nuclear a deixara esgotada. Como uma espécie de antídoto, começou a direcionar seus esforços para o trabalho no ateliê. A fase mais produtiva de *Na forma da mulher* (1970–1986) é desse período. Esse capítulo de seu *Diário* contém cerca de quarenta a sessenta trabalhos em serigrafia e técnica mista sobre papel. Abordam um amplo leque de questões femininas, entre as quais gravidez, parto, aborto, filhos, guerra, relacionamento com os homens, velhice, estupro, prazer, mercado de trabalho e ativismo

working as artist-in-residence at St. Mark's Church in the Bowery. There she conceived and developed *The Silkscreen Project* (1976–1988), which aimed to teach collective silkscreen printing to diverse community and political groups so that they could make banners, posters, and murals for their political rallies and demonstrations.[2] By using an uncomplicated silkscreening process, the groups could make several banners in a two- to three-hour workshop.[3] The project soon became a printing resource center for the communities' political activities. For important demonstrations, such as the Nuclear Disarmament March (June 1982), more than a hundred different groups gathered to silkscreen some four hundred banners during a two-month period. The tee shirts, posters, flyers, or "walking" murals were produced collectively and then identified by the name, *The Silkscreen Project*. Due to the collective nature of the enterprise, the artist seldom made her own objects for these events. One exception, however, was a banner the artist made for the Nuclear Disarmament March. Unfortunately, there is very little visual documentation of either the workshops or the group events for which the objects were made. Considered ephemeral, they were generally discarded after they were used.

By early 1980, Carvalho's activities at St. Mark's Church in the Bowery had attracted attention among politically concerned professionals. In recognition of her leadership role in public arts projects, Carvalho was invited to participate in the u.n. Mid-Decade Conference for Women, held in Copenhagen.[4] The conference was conceived as a response to problems of discrimination facing women artists as well as out of recognition that the political, social, and economic survival of women artists is integral to the survival of all women in all cultures. Carvalho participated in a panel discussion and led a workshop demonstrating the silkscreen methods she had developed at St. Mark's Church. The subject of the two-day workshop "focused on the survival of creative women and the growth of their art as vision of the politics of world feminism".[5] In the workshop session, a group collectively silkscreened several large banners that were used in a demonstration protesting a recent coup in Bolivia. At that conference, Carvalho had her first opportunity to exchange views with Brazilian feminists – an exchange the artist subsequently built upon in significant ways.

In late 1981 the artist was invited to her native São Paulo to teach the leaders of *Comunidades Eclesiásticas de Base* and the Workers Party to make silkscreen banners for their political actions. Once the political leaders had learned the process, they were able to teach their own communities the medium's empowering possibilities as agitprop art.[6]

It was through that experience that Carvalho realized she needed to find ways to be actively involved with political and cultural communities in Brazil and, simultaneously, give more time to her own individual works. After the Nuclear Disarmament March of 1982, Carvalho felt burned out. As a kind of antidote, she began redirecting her efforts toward her own work in the studio. The most productive period of *In the Shape of a woman* (1970–1986) dates from this time. The chapter, a term Carvalho uses for a series of images, which explore a specific theme, consists of some forty to sixty silkscreens and mixed-media works on paper. The subjects address a broad range of women's issues, including pregnancy,

Artista convidada e organizadora
da Semana de Arte Moderna
Centro Acadêmico Guido Viaro e
Museu de Arte Contemporânea
do Paraná •• Guest artist
organizer Modern Art Week,
Fine Arts Department, University
of Paraná and Museu de Arte
Contemporânea, Curitiba,
Paraná, Brazil, 1974

político. Parte dos trabalhos foi exibida em sua primeira mostra individual em Nova York: *Diário de imagens: mulheres 1980-1981*, na Central Hall Gallery, em 1982.

Além disso, o catálogo da exposição incluiu os primeiros exemplos de sua poesia, que se tornaria uma característica central de sua produção artística. Seus versos poéticos, intercalados com as reproduções de suas serigrafias e pinturas, acrescentaram outras camadas de significado. Por exemplo, sob a imagem de *Maria no exílio*, trabalho que alude aos temas da gravidez e do parto, Josely escreveu:

> Cheiro de peixe, revela o pássaro
> eu, você, nós todas
> mulher que pesca cozinha carpe
> nutre luta chora perde sonha vence
> você, mulher perdida no desconhecido,
> você, mulher encarcerada
> pelas ataduras do dia a dia,
> você, noiva mumificada,
> por que você se casa?

O poema celebra as funções e realizações das mulheres, ao mesmo tempo que critica as restrições impostas a elas.

A Central Hall Gallery se tornou o foco da militância feminista de Josely, fornecendo-lhe novas oportunidades de contato com outras artistas tanto no campo profissional quanto na realidade em si. Essa galeria também lhe garantiu a oportunidade de mostrar trabalhos de mulheres latino-americanas ao público norte-americano, que, nessa época, pouco conhecia as obras dessas artistas. Iniciou, então, a série *Artistas latino-americanas*. Nos cinco anos seguintes, de 1983 a 1987, artistas latino-americanas de várias procedências étnicas, raciais e culturais participaram de exposições, apresentaram recitais de poesia e mostraram filmes e vídeos. Um dos primeiros programas dessa série foi a exposição *Artistas latino-americanas vivendo em Nova York*, ocorrida em 1983.

Com curadoria da própria Josely Carvalho, de Katie Seiden e de Marjorie Apper-McKevitt, 15 mulheres de sete países diferentes expuseram uma obra cada. A iniciativa, entre outras coisas, chamou a atenção para o fato de norte-americanas e latino-americanas terem feito uma exposição coletiva que se baseou na decisão de reconhecer o gênero como um tema legítimo para uma mostra.[7] Vista retrospectivamente, constituiu-se também em uma das primeiras tentativas bem-sucedidas de modificar a prática de isolar exposições de artistas de países não pertencentes ao Primeiro Mundo.

Nesse mesmo ano, Josely expôs *Dos livros-memória do subdesenvolvimento*, um trabalho provocante, porém delicado, encomendado por Franklin Furnace para sua mostra de "livros de artistas". A obra em três dimensões, cuja expansão parte do formato tradicional de um livro de bolso, consiste em oito painéis construídos como se fossem grandes bolsas suspensas do teto. As imagens estão impressas em serigrafia do lado externo dessas "bolsas", nas quais também se leem estrofes do texto poético, apresentado na íntegra em uma delas. Ao criticar os excessos tanto da pobreza quanto da riqueza, a artista afirmou:

> mercados repletos de bananas ananás incenso
> coração de porco fome papaias pés descalços
> disenteria amebiana se abriga no futuro da
> comunidade os turistas fotografam para
> conservar a miséria.

birth, abortion, choice, children, war, men, women and men, old-age, rape, pleasure, women at work, and activism. Parts of this series were exhibited in the artist's first solo show in New York, *Diary of Images: Women 1980–1981*, at the Central Hall Gallery in 1982.

The exhibition catalogue included the first examples of her poetry, which became a central feature of her artistic production. The poetic verses, interspersed with illustrations of her silkscreened and painted images, provided additional layers of meaning. For example, under the image *Maria in exile* – a work that alludes to the themes of pregnancy and birth – Carvalho wrote:

> Smell of fish,
> I, you, we all
> women that fish,
> that sew, that farm,
> that nourish, that fight,
> that cry that lose
> that dream, that ignore,
> you, lost women in an unknown world.
> you, jailed woman by the jails of our daily life.
> You, mummy-bride,
> why do you marry?

The poem celebrates women's roles and accomplishments while it critiques the restrictions imposed on them.

The Central Hall Gallery became a focal point of Carvalho's feminist activism, providing a new opportunity for her to interface with other women artists on professional as well as non-artistic issues. Central Hall also afforded Carvalho the opportunity to bring Latin American women artists' works to the attention of North Americans, who, at the time, were generally unfamiliar with their work. Carvalho started the series Latin American Women Artists. Over the next five years, from 1983 to 1987, Latin American women artists from diverse racial, ethnic, and cultural backgrounds participated in exhibitions, gave poetry readings, and showed their films and videos. One of the first programs in this series was the exhibition *Latin American Women Artists Living in New York* (1983).

Co-curated by Carvalho, Katie Seiden, and Majorie Apper-McKevitt, fifteen women from seven countries in the Americas who were living in New York exhibited one work each. Among other considerations, the show called attention to the fact that both the North American and Latin American women artists who chose to exhibit together based their decision on recognizing gender as a legitimate theme for an exhibition.[7] In retrospect that exhibition also stands out as one of the first successful attempts to introduce change into exhibition practices that had been previously characterized by isolating artists from other regions outside the mainstream. During that same year, Carvalho exhibited *From the Memory Books of Underdevelopment*, a provocative, but delicate work commissioned by Franklin Furnace for its show of artists' books. The three-dimensional work, which expanded upon the traditional format of a book, consisted of eight panels constructed in the form of large pockets, which were suspended from the ceiling. The images were silkscreened on the exterior of each "pocket" panel. The artist's poetic text, shown in its entirety on one of the panels, was divided into stanzas and inserted in the pockets. In criticizing the excesses of poverty and plenty, the artist wrote:

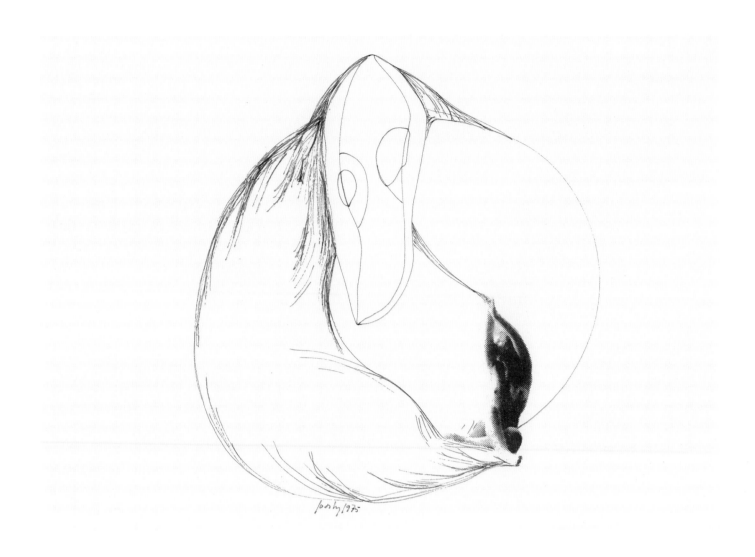

Sem título •• Untitled, 1974
serigrafia e nanquim ••
silkscreen and Indian ink
50 x 63,5 cm

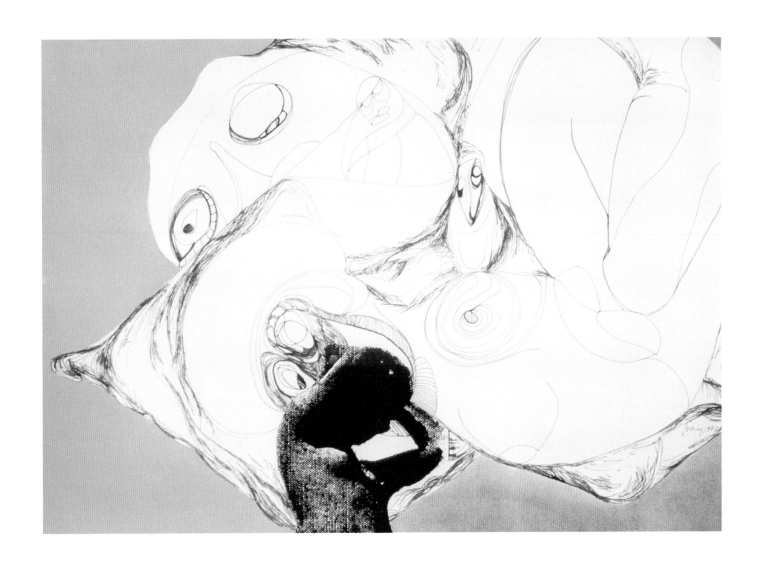

Sem título •• Untitled, 1975
serigrafia, nanquim e aquarela ••
silkscreen, Indian ink and watercolor
56,5 x 76,5 cm

The Silkscreen Project, 1977–87
Faixas impressas em serigrafia com diferentes grupos de solidariedade e carregadas por membros do Bread and Puppet Theater na Igreja de Riverside durante a Marcha do Desarmamento em Nova York •• Collective silkscreen banners printed with different solidarity groups and presented by members of the Bread and Puppet Theater at Riverside Church during the Disarmament March in New York.

The Silkscreen Project, 1979
Mural coletivo em serigrafia, parte de uma campanha eleitoral em benefício das escolas públicas do Lower East Side, Nova York •• Collective silkscreen mural as part of an election campaign to improve public schools at Lower East Side, New York.

The Silkscreen Project, 1982
Faixas impressas em serigrafia com diferentes
grupos solidarios à America Latina, Nova York
•• Collective silkscreen banners with different
Latin American solidarity groups, New York.

The markets are full of pineapples bananas incense pig's ears hunger papayas and bare feet amoebic dysentery thrived on future dreams while tourists click their cameras to preserve poverty.

have you ever eaten canned malnutrition? if you wish to you can find it in *From the Memory Books of Underdevelopment*.

In 1983 the United States' involvement in Central America was an issue that divided conservative and liberal opinion in this country. The liberal arts community here protested our military involvement in Central America. In an unusual show of solidarity, a group of concerned people in the arts community in New York formed Artists Call, a steering committee that organized a nationwide mobilization of people from all the arts. The protest became known as Artists Call against US Intervention in Central America. Beginning in January 1984, some eleven hundred artists participated in exhibitions and events in New York City alone. Thousands more participated in cities throughout the United States and Canada. Carvalho, who was part of that committee from its inception, organized two exhibitions, *Rape and Intervention* at the Yvonne Séguy Gallery (February 1984) and *Latin American Solidarity Art by Mail* at Judson Memorial Church.

Rape and Intervention was organized in the spirit of collaboration, which was becoming a more common strategy among activist artists. In this instance, Carvalho asked Nancy Spero to participate; she in turn invited Paulette Nenner, and Carvalho invited Catalina Parra. The four collaborated on a window installation and individually exhibited a work on the subject

of rape and intervention. Carvalho's work, *Craters of Blood*, of 1984, which contained the same poetry as was used in *From the Memory Books of Underdevelopment*, captures the vulnerability of life in a war zone through different representations of female subjects.[8] Most of the photographs used in this work were taken by the artist in Northeast Brazil; others were taken in Peru; and still others document soldiers in El Salvador. One of the images is from a family heirloom picture. The deft interweaving of public and private imagery characterizes the artist's layering process on both conceptual and formal levels. *Latin American Solidarity Art by Mail* was co-organized with Fatima Bertch out of recognition of the need to include Latin American artists in the mobilization effort.

Toward the end of 1984 and continuing into 1986, Carvalho produced the chapter *Smell of Fish*. This body of multimedia works is based upon the prejudices and false myths that are culturally imposed upon women.[9] The title of the series, for example, refers to one such prejudice that still lingers in the artist's memory. During childhood Carvalho's grandmother's used to say: "Go take your bath if you don't want to smell of codfish."[10] By interweaving image and text, the artist alludes to false myths that have entrapped women, childhood memories, and sexual fantasies. Attempting to counter the negative images of women as idealized representations for man's delectation, Carvalho has re-presented the female nude as active, procreative, and self-empowered in *Hallelujah!*, among other examples.

The second half of the 1980s proved to be as intensely active as the first half in terms of work inside as well as outside the studio. A number

por acaso você já comeu desnutrição enlatada? se quiser pode encontrá-la em *Dos livros-memória do subdesenvolvimento*.

Em 1983, o envolvimento dos Estados Unidos na América Central dividia os conservadores e os liberais do país. O tradicionalmente liberal meio artístico protestou contra a ingerência militar norte-americana na América Central. Em um raro exemplo de solidariedade, algumas pessoas engajadas da comunidade artística de Nova York formaram *O grito dos artistas*, um comitê que organizou a mobilização nacional de todos os campos artísticos. O protesto se tornou conhecido como *Chamada dos Artistas contra a Intervenção dos Estados Unidos na América Central*. Iniciado em janeiro de 1984, reuniu em exposições e eventos, apenas em Nova York, cerca de 1.100 artistas. Outros milhares participaram em outras cidades nos Estados Unidos e no Canadá. Josely, que integrou o comitê desde a sua criação, organizou duas exposições: *Stuprum e intervenção*, na galeria Yvonne Séguy, em fevereiro de 1984, e *Arte da solidariedade latino-americana pelo correio*, na igreja do Judson Memorial.

Stuprum e intervenção foi organizada sob um espírito de colaboração, que se tornou a estratégia mais comum entre os artistas ativistas. Josely convidou Catalina Parra e Nancy Spero, que, por sua vez, chamou Paulette Nenner. As quatro fizeram juntas uma instalação para a vitrine e expuseram trabalhos individuais. O trabalho de Josely Carvalho, *Crateras de sangue*, contém o poema utilizado em *Dos livros-memória do subdesenvolvimento* e capta a vulnerabilidade da vida em uma zona de guerra, por meio de diferentes representações de questões femininas.[8]

A maior parte das fotografias utilizadas foi tirada pela própria artista no Nordeste brasileiro; outras retratam peruanos e soldados salvadorenhos. Uma dessas imagens é uma fotografia antiga de sua família. O ágil entrelaçamento entre público e privado caracteriza o processo estratificado da artista nos níveis conceitual e formal. *Arte da solidariedade latino-americana pelo correio*, por sua vez, foi concebida com Fatima Bertch e levou em conta a necessidade de incluir artistas latino-americanos nesse esforço de mobilização.

Do fim de 1984 a 1986, Josely produziu o capítulo *Cheiro de peixe*, conjunto de trabalhos multimídia baseados em preconceitos e falsos mitos culturalmente impostos às mulheres.[9] O título da série, por exemplo, refere-se a um dos preconceitos que ainda persistem na memória da artista: quando criança, ela costumava ouvir sua avó dizer: "Vá tomar banho ou você vai cheirar a bacalhau!"[10] Ao entretecer imagem e texto, a artista aludiu a falsos mitos que aprisionaram mulheres, a lembranças de infância e a fantasias sexuais. A representação do nu feminino em *Hallelujah!*, feita de maneira ativa, procriadora e autodeterminada, serviu como contraponto das imagens negativas da mulher como representações idealizadas para o deleite dos homens.

A segunda metade dos anos 1980 provou ser tão intensa quanto a primeira no trabalho dentro e fora do ateliê. Alguns dos mais importantes projetos desse período foram iniciados na Central Gallery Hall. Entre estes, Josely coorganizou, em 1985, a exposição *Choice*, que contou com a participação de trinta artistas de diversas procedências e teve como tema a questão do aborto.[11] *Connections Project/Conexus*, outro esplêndido evento, iniciou-se nesse mesmo ano

Hallelujah!, 1985
serigrafia, óleo e
aguadas sobre papel,
cordão e madeira ••
silkscreen, oil and dyes
on paper, rope and wood
248,9 x 76,2 cm

Hiroshima Banner, 1982
[The Silkscreen Project]
serigrafia e óleo sobre algodão
•• silkscreen and oil on cotton
152 x 203 cm

e durou até 1987. Josely Carvalho e Sabra Moore planejaram uma exposição com 150 artistas mulheres do Brasil e dos Estados Unidos[12], cujos temas abordados foram: nascimento, alimentação, corpo, abrigo, guerra e morte, meio ambiente, raça e espírito. A exposição apresentou 150 trabalhos, cada um dos quais no formato 21 x 13,5 cm, que em seguida foram reunidos em um livro de artista. Além desses trabalhos, havia outros 32 em grandes dimensões, feitos por igual número de artistas, e mostras de filmes e vídeos.

A série *A visita dos pássaros e das tartarugas*, realizada em 1987 e 1988, foi o capítulo seguinte do *Diário de imagens*. Explorados de um ponto de vista feminino, lidam com questões ligadas à dupla identidade cultural. Abrangem noções conflitantes ligadas simultaneamente a pertencer ou não a um de dois países, em seu caso Brasil e Estados Unidos, e a ter dupla nacionalidade. A artista, para expressar sua situação híbrida, adotou os motivos do pássaro e da tartaruga. O primeiro, uma criatura alada, sugere a noção de viagem. A segunda, animal adaptado para viver tanto na água quanto na terra, carrega nas costas a própria casa. Ambos são emblemas do conceito de que a identidade híbrida é algo que a artista leva com ela e se transforma, se adapta. Josely expressou isso da seguinte maneira: "Caminhamos fincados à terra, ao mesmo tempo que voamos". A recorrente imagem da mulher que se eleva sugere a possibilidade de voar, de realizar o próprio potencial. De seu arquivo, a artista usou uma imagem de nu feminino para criar paisagens em que a memória é ressuscitada, ao passo que a criação e a sobrevivência se afirmam. Imagens de fragmentos do corpo feminino expressam as partes que compõem a vida das mulheres. Referências a cerimônias estão presentes em títulos como *O sacrifício como ferramenta de meditação* e à recriação em *Renascer: a visita dos pássaros e das tartarugas* e em *Ela interrompe o ato da corrosão queimando partes de seu corpo*. Além de trabalhos em papel, pinturas e uma instalação, essa série incluiu um trabalho feito no painel eletrônico da Times Square: uma animação digital de 32 segundos chamada *Noticiário da tartaruga* e composta de três segmentos que fundiam elementos autobiográficos, questões ambientais e uma crítica à dívida externa da América Latina. *Noticiário da tartaruga* apareceu, durante o mês de novembro de 1988, a cada 11 minutos.

Como indicado, a imagem feminina (e, algumas vezes, um substituto, a tartaruga) tem sido o principal veículo utilizado pela artista para "falar" de fantasias pessoais, retomar memórias e confrontar questões políticas, como o estupro, o preconceito, a guerra e a destruição ambiental.

Há uma relação orgânica entre os assuntos explorados em *A visita dos pássaros e das tartarugas* e no capítulo seguinte, *Meu corpo é meu país* (1990–1991). Aparentemente, no momento em que Josely aceita sua identidade híbrida, torna-se livre para continuar a explorar as muitas dicotomias que decorrem da adaptação à dupla nacionalidade e da vida nos interstícios de fronteiras definidas por ela própria. A esse respeito, escreveu:

Meu corpo é meu país
massa compacta que se desdobra para abraçar
[meu território
terra de ferro, memória e resistência.

A série *Meu corpo é meu país* reúne pinturas, um livro de artista e uma instalação homônima,

of major projects were initiated in Central Hall Gallery. For example, Carvalho co-organized the exhibition *Choice* (1985), which addressed the subject of abortion. Thirty women artists of diverse backgrounds participated.[11] The *Connections Project/Conexus*, another monumental event, got underway that same year and lasted until 1987. Carvalho and Sabra Moore began planning for a collaborative exhibition involving a hundred and fifty women artists from Brazil and the United States. The subjects explored were birth, food, body, shelter, war and death, environment, race, and spirit. The exhibition displayed 150 works – each of which was the size of a page – which were then produced as an artist's book.[12] In addition there were thirty two large-format works by thirty-two artists, films, and video viewings.

She is Visited by Birds and Turtles, dating from 1987–1988, is the next chapter in Carvalho's *Diary of Images*. Explored from a feminine viewpoint, the themes deal with questions of bicultural identity. They embrace the conflicting notions of simultaneously belonging and not belonging to any one country (Brazil and the United States), of having dual nationalities. In expressing her own hybrid state, the artist has adopted the motifs of the bird and the turtle. The bird, a creature of flight, suggests the notion of journey. The turtle, an animal adapted to living on both land and water, carries its home on its back. The bird and turtle emblemize the artist's concept of her hybrid identity as one that changes, one that adapts, and, finally, one that is carried within her. Carvalho expressed the notion in the following way: "We hold our ground and at the same time we fly". The recurring image of a woman reaching upward suggests the possibility of flying, of

realizing the potential of one's own power. From her archive of images, the artist adopts the image of the female nude to create landscapes in which memory is resuscitated and creation and survival are affirmed. Images of fragments of the female body express the parts that make up women's lives. References to ceremony appear in such titles as the *Sacrifice as a Tool of Meditation* and those to re-creation in *Rebirth: She Is Visited by Birds and Turtles*, and *She Stops the Act of Corrosion by Burning her Parts*. In addition to the works on paper, paintings, and an installation, this series also includes a work on the Spectacolor Board in Times Square, the thirty-second computer light animation, *Turtle News,* which was played every eleven minutes during the month of November 1988. The animation consisted of three connected segments that merged the autobiographical, concerns for the environment, and a critique of the North and South American debt.

As noted in the above discussion, the image of the female (and, sometimes, a surrogate, the turtle) has been the principal vehicle Carvalho uses to "speak to" personal fantasies, recall memories, and confront political issues such as rape, prejudice, war, and environmental destruction.

There is an organic relationship between the issues explored in the chapters *She Is Visited by Birds and Turtles* and the following one *My Body is My Country* (1990–1991). It seems that once Carvalho accepted her own hybrid identity, she was free to continue exploring the many dichotomies arising out of adapting to dual citizenship and living in the interstices of borders defined by oneself. Concerning that view, Carvalho wrote:

Dos livros-memória do subdesenvolvimento ••
From the Memory Books of Underdevelopment, 1983
serigrafia e pigmentos sobre seda, e fotolitos ••
silkscreen and dyes on silk, and kodalith
diversos formatos •• varied sizes

My body is my country
a resilient mass that stretches to embrace my
                                        [territory
a land of iron, memories and resistance.

This series comprises paintings, an artists' book, and an installation also entitled *My Body Is My Country*. It powerfully explores the problems of having to choose one country over another, having to conform to categories of expectations imposed by two different cultures, and having to adhere to the citizenship laws of individual nations. The installation consists of a large, open window; a column supporting a container of blood; a text; the Brazilian and American flags placed on the floor in front of these elements; and images reproduced from the media. Carvalho has chosen a group of objects whose connotations unite private as well as public issues. Some of these have appeared in previous works, thereby carrying forward former significations, while the appropriations from the communications industry provide contemporary references. For example, the central pane in the window features a woman whose mouth is agape. That now-familiar figure was formerly employed to illustrate the subject of rape in the series *In the Shape of a Woman*; the same figure was also used in the *Rape and Revenge of Gaia* (1988), a work addressing the destruction of nature. The left pane of the window shows images of hungry children and the destruction of the trees in the Amazons, two problems presently plaguing Brazil. The right pane presents images of racism, police brutality, and homelessness – conditions disturbing American society today. In an attempt to provide a critical framework within a poetic resolution the artist wrote an inventive text (a self-styled Constitution) that claims the passport's function to be poetic,

the flag's to be aesthetic. It goes on to say that the individual may not be denigrated, raped, tortured, starved, or censored and that nature's flora and fauna should be valued as human life.

The chapter *My Body Is My Country* was temporarily interrupted in the early winter of 1991, when the United States led an allied military offensive against Iraq in the Persian Gulf. The artist's response to that particular war motivated what became the chapter *It's Still Time to Mourn* (1991–on going). Carvalho read a newspaper article that reported the remains of an Iraqi soldier's diary. The soldier's diary became the cornerstone for a beautiful body of works that consist of four installations and an artist's book. The first two installations were constructed around a core of images of the Gulf War that came from the mass media. The artist's book expands upon the original concept of her diary of images by reconstructing the Iraqi soldier's diary and inserting it into hers. In acknowledging this, the artist wrote:

Aboud,
I insert your diary in my diary
My diary becomes your diary
Josely

The artist designed her book entitled *Diary of Images: It's Still Time to Mourn* in the form of a prayer book so as to retain the highly personal and meditative nature of the soldier's journal. The book was made in the intimate size (12 x 18,5 cm) and features the motif of a mihrab on both the front and back covers. Found in Islamic temples, the mihrab is a prayer niche that indicates the direction of Mecca. One of several striking images in the book is that of an Iraqi soldier kneeling and praying in front of his

bem como aborda, de maneira incisiva, os problemas gerados pela obrigação de escolher um país em detrimento de outro e pela necessidade de conformar-se às expectativas impostas por duas culturas distintas, submetendo-se a leis de nações diferentes. A instalação se compõe de uma grande janela aberta, uma coluna que sustenta um recipiente com sangue, um texto, as bandeiras brasileira e norte-americana estendidas no chão diante desses elementos e imagens reproduzidas pela mídia. Josely escolheu um grupo de objetos cujas conotações unem assuntos públicos e privados. Alguns deles estão presentes em trabalhos anteriores e de certo modo atualizam as significações desses trabalhos, enquanto as apropriações da indústria da comunicação proveem as referências contemporâneas. A vidraça central da janela mostra uma mulher com a boca escancarada. Essa figura, agora familiar, havia sido usada para ilustrar o tema do estupro na série *Na forma da mulher* e em *Estupro e vingança de Gaia*, de 1988, sobre a destruição da natureza. A vidraça esquerda da janela exibe imagens de crianças famintas e da destruição de árvores na Amazônia, dois problemas disseminados no Brasil. A vidraça direita, por sua vez, apresenta cenas de racismo, violência policial e de pessoas sem teto, questões que atualmente perturbam a sociedade norte-americana. Com o intuito de criar uma moldura crítica dotada de resolução poética, a artista escreveu um texto criativo (uma Constituição própria), que reivindica uma função poética para o passaporte e outra estética para a bandeira nacional. E prossegue afirmando que o indivíduo não pode ser denegrido, estuprado, torturado, privado de comida ou censurado, e que a fauna e a flora devem ser tão valorizadas quanto a vida humana.

O capítulo *Meu corpo é meu país* foi temporariamente interrompido no início do inverno de 1991, quando os Estados Unidos lideraram a ofensiva militar contra o Iraque, no Golfo Pérsico. A resposta da artista a essa guerra gerou o que se tornaria o capítulo *Tempos de luto* (desde 1991). Josely leu um artigo de jornal com fragmentos do diário de um soldado iraquiano, e esse diário se tornou a pedra fundamental de um belo conjunto de trabalhos, composto de quatro instalações e um livro de artista. As duas primeiras instalações foram construídas em torno de imagens da guerra do Golfo colhidas na mídia, enquanto o livro de artista ampliou o conceito original de seu diário de imagens, ao reconstituir o diário do soldado e inseri-lo em seu próprio diário. Ao reconhecer essa apropriação, a artista escreveu:

Aboud,
Insiro seu diário no meu diário.
Meu diário se torna o seu diário.
Josely.

Josely concebeu o livro *Diário de imagens: tempos de luto* sob a forma de um livro de orações, de modo que ele retivesse a natureza altamente pessoal e meditativa do diário do soldado. Foi produzido em uma escala intimista (12 x 18,5 cm) e apresenta o motivo de um mirabe na capa e na contracapa. O mirabe, encontrado em templos islâmicos, é um oratório que indica a direção de Meca. Uma das muitas imagens impressionantes do livro é a de um soldado iraquiano rezando ajoelhado diante de seu tanque. Outra delas, um trecho em árabe do Alcorão, sobre o qual foram sobrepostas imagens dos protagonistas, muitos

Asas partidas | Sorrisos perdidos ••
Broken Wings | Lost Smiles, 1984
serigrafia e creiom sobre papel ••
silkscreen and crayon on paper
50,8 x 76,5 cm
Coleção •• Collection Lucy R. Lippard

Oremos às memórias de nossas infâncias
•• *Let's Pray to Childhood Memories*, 1985
serigrafia, acrílica e creiom sobre papel
[tríptico] •• silkscreen, acrylic and
crayon on paper [tryphic]
254 x 762 cm

dos quais acreditavam lutar e morrer em uma guerra santa. Além disso, o texto do Alcorão realça o caráter religioso do diário e insere as imagens em outro contexto cultural.

A transformação do motivo do mirabe presente no livro da artista para a dimensão monumental das instalações, intituladas *Tempos de luto: Dia Mater I* e *Tempos de luto: Dia Mater II*, acrescenta novas camadas de significado, assim como novas dimensões visuais ao tema original dos horrores da guerra. O título dessas instalações alude ao *Enuma Elish*, épico babilônico sobre a criação do mundo, cujo relato descreve a forma brutal como a deusa-mãe Tiamat foi morta por seu tataraneto Marduk.

A instalação *Tempos de luto: Dia Mater I* é composta de cinco janelas em forma de mirabe, inseridas em uma longa parede.[13] Cada uma dessas janelas foi construída com três camadas: duas de acrílico e a outra de papel artesanal com imagens serigráficas. Ao olhar através dessas janelas, o espectador tem uma experiência similar àquela de olhar para o caixão de luz das instalações em que imagens de dor e sofrimento das cenas da guerra expressam a realidade do mundo atual. Em *Tempos de luto: Dia Mater II*, a artista imprimiu serigraficamente portas com a forma de grandes mirabes na parede que conduz a uma área em que há uma tenda memorial.[14] Essa tenda com características beduínas foi construída com redes de camuflagem usadas na guerra do Vietnã. Dois bancos de madeira foram colocados em torno do caixão de luz, para que os espectadores pudessem se sentar e meditar sobre o sofrimento vivido no campo de batalha. No caixão de luz, reproduz-se este trecho do diário do soldado iraquiano:

Bagdá
cidade da minha família,
por que você está triste?
Sua manhã escureceu
E seu gemido
cresce a cada noite.
Sem lua.
Sem estrelas
para iluminar o céu.
Os pássaros de nosso amor,
porta-vozes habituais da beleza,
não param de chorar.

UM DOS PRINCIPAIS OBJETIVOS DO PANORAMA aqui descrito é a construção de um arcabouço crítico com base no qual se possa apreciar o contínuo envolvimento da artista com questões sociais e políticas, perpassadas pela narrativa autobiográfica. Em meados dos anos 1970, a obra de Josely Carvalho esteve intimamente envolvida com várias comunidades políticas e culturais, tanto nos Estados Unidos quanto no Brasil. A instalação *Ciranda I*, em exibição na Intar Art Gallery, enfoca a terrível violência infligida contra os meninos de rua no Brasil. Durante a montagem dessa instalação, Josely esteve ao Brasil para realizar a primeira parte do trabalho de campo com sociólogos e educadores que trabalham com crianças e adolescentes nas ruas. A documentação visual usada nessa instalação tem como eixo um conjunto de imagens composto de algumas ainda inéditas e de outras de trabalhos anteriores. As fotografias das crianças de rua foram feitas por especialistas brasileiros que colaboraram no projeto; as

tank. Another is the use of Arabic script taken from the Koran, which is superimposed over images of the protagonists, many of whom believed they were fighting and dying in a holy war. Script from the Koran further enhances the religious nature of the diary at the same time that it places the visual images in a specific cultural context.

The transformation of the mihrab motif from its miniature size in the artist's book to a monumental size in the installations entitled *It's Still Time to Mourn: Dia Mater I* and *It's Still Time to Mourn: Dia Mater II* added new layers of meaning as well as new visual dimensions to the original theme of the evils of war. The title of the installations, *Dia Mater* alludes to the Babylonian creation epic *Enuma Elish*, which relates the brutal description of how the mother goddess Tiamat was killed by her great, great, great, grandson Marduk. *It's Still Time to Mourn: Dia Mater I* was composed of five mihrab-shaped windows inserted into a long wall.[13] Each of these windows was constructed of three layers: two of Lucite, and one of paper, which bore silkscreened images. In looking into these mihrab windows, the viewer had an experience similar to looking into the light box/coffins of the earlier installations, where the images of pain and suffering from the war scenes have the reality of the actual world. In *It's Still Time to Mourn: Dia Mater II*, the artist silkscreened doors in the form of large-scale mihrabs on the wall leading to the area where a memorial tent was placed.[14] The memorial tent took the form of a Bedouin tent made of camouflage netting used in the Vietnam War. Two low benches were place around a light box/coffin so that the viewer could sit and ponder the human suffering exacted on the battlefield. In the light box/coffin, one of the entries conveying the Iraqi soldier's anguish appeared:

Baghdad,
the city of my family,
why are you sad?
Your morning became dark,
and your wailing
increased nightly.
No moon.
No stars,
to lighten up your skies.
And the birds of our love,
who used to bring beauty,
are crying.

IN THIS OVERVIEW, ONE OF THE CENTRAL objectives has been to provide a critical framework within which one can further appreciate the artist's sustained engagement with the social and political issues that are interwoven with an autobiographical narrative. Carvalho's project from the mid-1970s has centered on her involvement with diverse political and cultural communities both in this country and Brazil. *Ciranda I*, the installation that is presently exhibited in Intar Gallery, focuses upon the devastating violence wrought on the street children in Brazil. In preparing this installation, the artist returned once again to Brazil to do the first phase of fieldwork with sociologists and street educators who work with children and adolescents. The visual documentation in this installation is constructed around a core of images, some of which are new, others of which were appropriated from the artist's previous pieces. The photographs of the street children come from Brazilian specialists who collaborated

Livro da Tartaruga •• *Turtle's Book*, 1990
[livro de artista •• artist's book]
serigrafia, acrílica e ráfia sobre papel,
seis páginas •• silkscreen, acrylic and
raffia on paper, six pages
30,5 x 30,5 cm [fechado •• closed]
Coleção •• Collection Clint Boecht

with the artist on this project; other photographs depicting the artist as a child are from the family album; still others are of children whom Carvalho photographed over the years. These are united around the imposing image in *The Scream*, which, as is noted above, connotes rape or violence.

Carvalho's aim has been to create a moving silkscreen, which is technically executed through a video installation. To do this, the photographs were transformed into half tone film and then shot with a video camera. As part of the larger silkscreen project, this work also deals with different forms of violence, resistance, and memory.

Notes

1   The Arlington Community Artist-in-Residence program was funded through the Department of Environmental Affairs and by a pilot project grant from the National Endowment for the Arts. Carvalho developed outdoor programs in collective silkscreening that included *Silkscreen Your Business Hour* and *Silkscreen a Mural*.

2   The Silkscreen Project, which was one of six art projects at St. Marks in the Bowery, made banners for the Disarmament March, Riverside Church Nuclear Disarmament Program, International Women's Day, and the May Day Parade, among others.

3   Carvalho has described the collective process of banner-making as involving a group of five to ten people who worked together toward a common objective. Once the group discussed the purpose of the banner, it would then create a story to represent their idea. The group would then cut paper stencil images based on the story and silkscreen them onto large muslin banners of approximately 4 by 10 feet. This process lasted two to four hours and was as important as the finished product. The small stencils were used to create different stories on a large number of different banners.

4   For discussion of this historic conference, see Eleanor Johnson & Beatrice Kreloff,. "Survival for Women Artists". In: *Women Artists of the World*. New York: Midmarch Associates, 1984, p. 35–9.

5   Ibid., p. 35.

6   Catherine Tinker. "A Portrait of Two Latin American Women Artists in New York: Josely Carvalho and Catalina Parra", *Women Artists News*, March 1984, p. 7.

7   In the critical reviews of that time, Eva Cockcroft wrote: "This exhibition was part of the current tendency to group artists by qualities extrinsic to their art – for example, by gender, national or racial origin, or even by sexual preference". Cf. Eva Cockcroft. "Latin American Women Artists at Central Hall Artists", *Art News*, October 1983, p. 183.

8   The installation was part of Carvalho's larger chapter/series also titled *Rape and Intervention* that included a number of works on paper.

9   The components in this series include works on paper, paintings, three installations, video, performance, and an artist's book. Carvalho used several of these media for the first time.

10   From the narrative written for *Smell of Fish*.

11   All of the women who participated supported Roe vs. Wade. Carvalho exhibited *Hallelujah!*

12   In the planning stages, one hundred and fifty women were asked to detail those issues that were most important to them. A bilingual edition of six hundred xeroxed and silkscreened books were printed from the exhibit. The exhibition opened at the Museum of Contemporary Hispanic Art in New York and then traveled to the Southeastern Massachusetts University in Amherst and the Museum of Contemporary Art in São Paulo.

13   The installation was exhibited in Art in General in New York in January 1993.

14   The installation was exhibited in the Museu de Arte de São Paulo – Masp, in February 1993.

imagens da artista ainda criança foram retiradas de álbuns de família e as demais imagens foram feitas pela própria artista ao longo dos anos. Encontram-se unidas em torno da imponente imagem *O grito*, cuja presença conota estupro ou violência.

O principal objetivo de Josely Carvalho foi animar a serigrafia, executada tecnicamente por intermédio de uma videoinstalação. Para obter o efeito desejado, as fotografias foram fotolitadas e, em seguida, filmadas com uma câmera de vídeo. Parte do amplo projeto serigráfico da artista, a obra lida também com diferentes formas de violência, resistência e memória.

Notas

1   O Arlington Community Artist-in-Residence Program foi criado pelo Department of Environmental Affairs e subsidiado por um plano piloto da National Endowment for the Arts. Josely criou programas para a realização coletiva de serigrafias ao ar livre, entre os quais *Faça uma serigrafia durante sua jornada de trabalho* e *Faça uma serigrafia mural*.

2   No *Projeto Silkscreen*, um dos seis projetos de arte da igreja de Saint Marks-in-the-Bowery, foram confeccionadas faixas para, entre outras manifestações, a Marcha pelo Desarmamento do Programa pelo Desarmamento Nuclear da Igreja de Riverside, para o Dia Internacional da Mulher e para a Parada do Dia do Trabalho.

3   De acordo com Josely Carvalho, o processo coletivo de feitura das faixas envolvia de cinco a dez pessoas trabalhando em torno de um objetivo comum. Tão logo o grupo decidisse o motivo de uma faixa, criava-se uma história para representar essa ideia. O grupo, então, recortava em papel estêncil imagens baseadas nessa história, que, em seguida, eram impressas sobre grandes faixas de morim, de aproximadamente 1,2 x 3 m.

O processo levava de duas a quatro horas, e era considerado tão importante quanto o produto final. As pequenas matrizes foram utilizadas para criar diferentes histórias impressas em um grande número de faixas.

4   Para uma discussão sobre essa conferência histórica, ver Eleanor Johnson & Beatrice Kreloff. "Survival for women artists". In: *Women Artists of the World*. New York: Midmarch Associates, 1984, p. 35–9.

5   Ibid, p. 35.

6   Catherine Tinker. "A Portrait of Two Latin American Women Artists in New York: Josely Carvalho and Catalina Parra", *Women Artists News*, março de 1984, p. 7.

7   Em resenha feita na época, Eva Cockcroft escreveu: "Essa exposição faz parte da atual tendência de agrupar artistas, de acordo com qualidades extrínsecas à sua arte – por exemplo, gênero, origem nacional ou racial, ou mesmo preferências sexuais". Cf. Eva Cockcroft. "Latin American Women Artists at Central Hall Gallery", *Art News*, outubro de 1983, p. 183.

8   A instalação era parte de uma série maior dos capítulos de Josely, igualmente intitulada *Stuprum e intervenção*, contendo várias obras sobre papel.

9   A série inclui obras sobre papel, pinturas, três instalações, vídeo, performance e um livro de artista. Na ocasião, Josely utilizou vários desses suportes pela primeira vez.

10   Da narrativa escrita no capítulo *Cheiro de peixe*.

11   Todas as mulheres que participaram apoiavam a decisão de Roe vs. Wade. Josely Carvalho exibiu *Hallelujah!*

12   Nas etapas de planejamento, 150 mulheres foram solicitadas a detalhar os temas que consideravam mais importantes. Na exposição, imprimiu-se uma edição bilíngue de seiscentos livros fotocopiados e serigrafados. A exposição foi inaugurada no Museum of Contemporary Hispanic Art de Nova York e seguiu para a Southeastern Massachusetts University, em Amherst, e para o Museu de Arte Contemporânea de São Paulo.

13   A instalação foi exibida na Art in General, em Nova York, em janeiro de 1993.

14   Apresentada no Museu de Arte de São Paulo – Masp, em fevereiro de 1993.

O grito •• *The Scream* [Cirandas n. I], 1993
janela de luz, serigrafia sobre vidro e
acrílico, fotolito, bandeiras brasileira e
americana e sangue falso •• light box
wooden window, silkscreen on plexiglass
and glass, United States and Brazilian flags
and fake blood
90,2 x 116,8 x 10,2 cm
[janela fechada •• closed window}
Intar Gallery, New York

João 1981 - O Porto

In the Shape of a Woman, 1981 [fragments]

Brazil
the flight to prisons like
several different cages waiting for
my cunt eyes weaknesses
to be wrapped around reality
whose reality?, asks the bird
mouths devouring images of tranquility
shaping them into an amorphous lethargy
a state which can only be during lack of statehood
my own state which could never be without a land
my own land with the knowledge of its frontiers
green yellow blue
tones transparencies portraits negative spaces
color of my people
moments captured by an extension of the body
the photography of presence the anguish of drawing
questionning the historic process
and the domination of power

New York
where is her body?
lying in the prisons of her own fears
where are my eyes?
sleeping in the indifference of a place that is not mine
where are our hands?
hiding behind shielded transparencies
where is her reason?
lost
where are my memories?
suffering claustrophobia in my own drawers
where is my being?
printed in moldy paper
where is our future?
who said you have a future? comments the bird

O parto •• *The Birth*, 1981
serigrafia e creiom sobre papel ••
silkscreen and crayon on paper
105,4 x 74,9 cm
Coleção •• Collection Grunwald Center
for the Graphic Arts, Hammer Museum,
Los Angeles

Na forma da mulher, 1981 [fragmentos]

Brasil
o voo às prisões
várias jaulas esperando por meus olhos
mãos queixo fraquezas
a serem embrulhadas no cotidiano
qual?, pergunta o pássaro
bocas devoram imagens de tranquilidade
deglutindo-as em forma de apatia
estado de sítio cidadania em terra longínqua
minha terra reconhecimento do meu povo
verde amarelo azul
transparências passadas tonalidades futuras
retratos linhas volumes espaços no negativo
cor da minha gente
momentos capturados pela extensão do corpo
fotografia do presente angústia do desenho
questionando o olhar histórico
enfrentando a dominação do poderoso.

Nova York,
onde está o seu corpo?
estirado no calabouço do medo
onde está o meu olhar?
dormindo na indiferença do mundo que não é meu
onde estão as nossas mãos?
escondidas atrás de cavaletes translúcidos
onde está a sua razão?
perdida
onde estão as minhas memórias?
enclausuradas na claustrofobia das gavetas
onde está o meu eu?
impresso no bolor do papel
onde está o nosso futuro?
quem lhes disse que vocês têm futuro, diz o pássaro.

As prisões nossas de cada dia ••
Prisons of Our Daily Lives, 1981
serigrafia e creiom sobre papel ••
silkscreen and crayon on paper
105,4 x 74,9 cm

Kalu, por onde andam seus demônios? ••
Kalu, where are the demons that bring
yearnings of what you are?, 1982
serigrafia e creiom sobre papel [tríptico] ••
silkscreen and crayon on paper [tryphic]
55,8 x 228,6 cm

tire as calças! grita o pássaro furioso
enxuga a alma
esfrega os pés encardidos
lave os preconceitos
escancare suas defesas! suplica o pássaro
lambuzado de fel
para ser devorado por línguas humanas
e pungido por abelhas gulosas

corrupiando sem encontrar uma gaiola entreaberta
desencanto tempestades de emoções
                                    choro

choro por mim
por você   mulher impregnada
penetrada por amor   violência   preconceitos
cheiro de peixe, confessa o pássaro
eu você nós todas
mulher que pesca   cozinha   carpe
nutre   luta   chora   perde   sonha   vence
você   mulher perdida no desconhecido
você   mulher encarcerada pelas ataduras do dia a dia
você   noiva mumificada
                    por que se casa?

sonho por voar, declara o pássaro

nós mulheres   na volúpia do desespero
rodopiando entre os luzeiros
desbravando paisagens desconhecidas
              nós, mulheres   rompemos gaiolas

choramos para intensificar emoções

A espera •• *Waiting*, 1982
serigrafia e creiom sobre papel [díptico] ••
silkscreen and crayon on paper [dypthic]
76,5 x 113 cm
Coleção •• Collection Grunwald Center
for the Graphic Arts, Hammer Museum,
Los Angeles

take off your pants! screams the angry bird
it's time to dry your soul
to clean your toes
disinfect your prejudices
take off your shields! pleads the bird
smothered in gall
to be licked by human tongues and
sting by craving bees.

whirling within the circles of unknown directions
flying forward to already travelled regions
not finding open cages   I cry

I cry for my self you and ourselves
women   you impregnated woman
penetrated with love   violence   abuse
smell of fish reveals the bird
I you we all
women that fish   sew   farm
nourish   fight   cry   lose   dream   prevail
you   lost women in an unknown land
you   jailed women by the jails of your daily life
you   mummy-bride
                        why do you marry?

I dream of flying, says the bird

we women   bringing about the storms of despair
spinning within the circles of lighthouses
rupturing new landscapes
                we women encounter open cages

we cry to intensify emotions

Contos femininos do purgatório ••
Female Tales of Purgatory, 1983
serigrafia e creiom sobre papel ••
silkscreen and crayon on paper
76,2 x 55,8 cm

Contos masculinos do purgatório ••
Male Tales of Purgatory, 1982
serigrafia e creiom sobre papel [díptico] ••
silkscreen and crayon on paper [dypthic]
56,5 x 153 cm

76

A merenda •• *The Meal*, 1985

Instalação/Performance ••
Installation/ Performance
serigrafia e técnica mista sobre
sete painéis de seda, acrílico, seis
projetores de slide, vinho, vidro e resina
•• silkscreen and dyes on seven silk
panels, plexiglass, six slide projectors,
wine, glass and resin
245 x 51 cm cada painel •• each panel

Livro de Artista •• Artist's Book
serigrafia sobre papel Rives,
doze páginas •• silkscreen on
Rives paper, twelve pages
30 x 23 cm
Edição •• Edition 20 exemplares em
português e 20 exemplares em inglês
•• 20 copies in Portuguese and
20 copies in English

Fish used to taste like meat
till God let Eve bathe in the ocean,
my brother told me one day.

Oratorium •• *Oratorium*, 1985–90
serigrafia sobre seda e paredes
exteriores, aguada, ráfia, costura, palha
de taboa e galhos roídos por castores ••
silkscreen on silk and the exterior
walls, dyes, raffia, straw and branches
gnawed by beavers.
The Decade Show: Frameworks
of Identity in the 1980s, Museum of
Contemporary Hispanic Art, New York.
Curadora •• Curator Julia P. Herzberg
243,8 x 200 x 38 cm

Cheiro de peixe •• *Smell of Fish*, 1985
14 serigrafias e aguada sobre papel artesanal ••
14 silkscreens and dye on handmade paper
52,1 x 39,4 cm cada •• each
Coleção •• Collection Museo de Bellas Artes,
Caracas, Venezuela

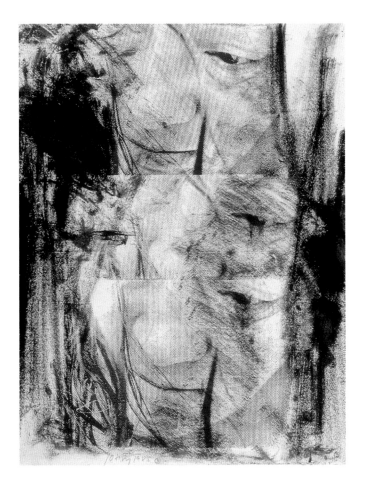 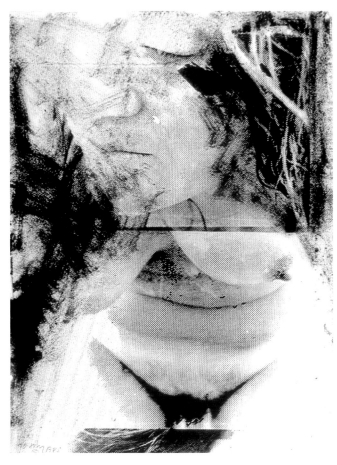

Cheiro de peixe, 1985

oremos, pronuncia um pássaro colossal
vestido de roxo
mastiga dois seios em um redemoinho de desejo
oremos, oremos aos nossos demônios
os demônios que nos desprendem de nossos calabouços

cheiro de peixe
antropófago de fantasias
sargaço enrolado em culpa
camadas de reminiscências vagas
oremos, oremos às memórias do nosso crescer
visões de infâncias perdidas
cheiro de peixe
corrimento translúcido
prazer lubrificante
pelágicas cavernas encravadas de ruídos sexuais
retratam estórias de vovozinhas
trançando donzelas com fios de bacalhau

pelo corpo de Cristo!, declama o halterofilista
notícias circulam daqueles que foram mortos
mutilados violados esquecidos
logo ali
do outro lado do rio
cheiro de peixe
mea culpa!, grita o pássaro em vôo.

Cheiro de peixe •• *Smell of Fish*, 1984
serigrafia, oleo e creiom sobre papel ••
silkscreen, oil and crayon on paper
106,7 x 116,8 cm
Coleção •• Collection Casa de las Americas,
Havana, Cuba

Smell of Fish, 1985

let us pray, says a colossal bird
dressed in purple
he chews a couple of breasts in a swirl of desire
let us pray to our demons
the demons that free ourselves from our own prisons

smell of fish
cannibal of fantasies
sorghum wrapped in guilt
layers of unclear memories
let us pray to the memory notes of our growing up
transparent visions of lost childhoods
smell of fish
translucent discharge
lubricating pleasure
deep caverns embedded in sexual sounds
retrace grandma' stories
connecting little girls with future smell of codfish

from the body of Christ!, says the weightlifter
news is funneling of those who have been killed
mutilated assaulted poisoned forgotten
just across
the other side of the river
smell of fish
mea culpa!, screams the bird in flight.

Canibal de fantasias ••
Cannibal of Fantasies, 1984
serigrafia e acrílica sobre tela ••
silkscreen and acrylic on canvas
180 x 120 cm

PÁGINAS •• PAGES 90–1

Mea culpa! Grita o pássaro em voo ••
Mea Culpa! Screams the Bird in Flight, 1984
serigrafia e acrílica sobre tela [díptico] ••
silkscreen and acrylic on canvas [dypthic]
183 x 244 cm

Peixe morre pela boca ••
Fish Die by the Mouth, 1985
serigrafia e acrílica sobre tela ••
silkscreen and acrylic on canvas
213 x 127 cm

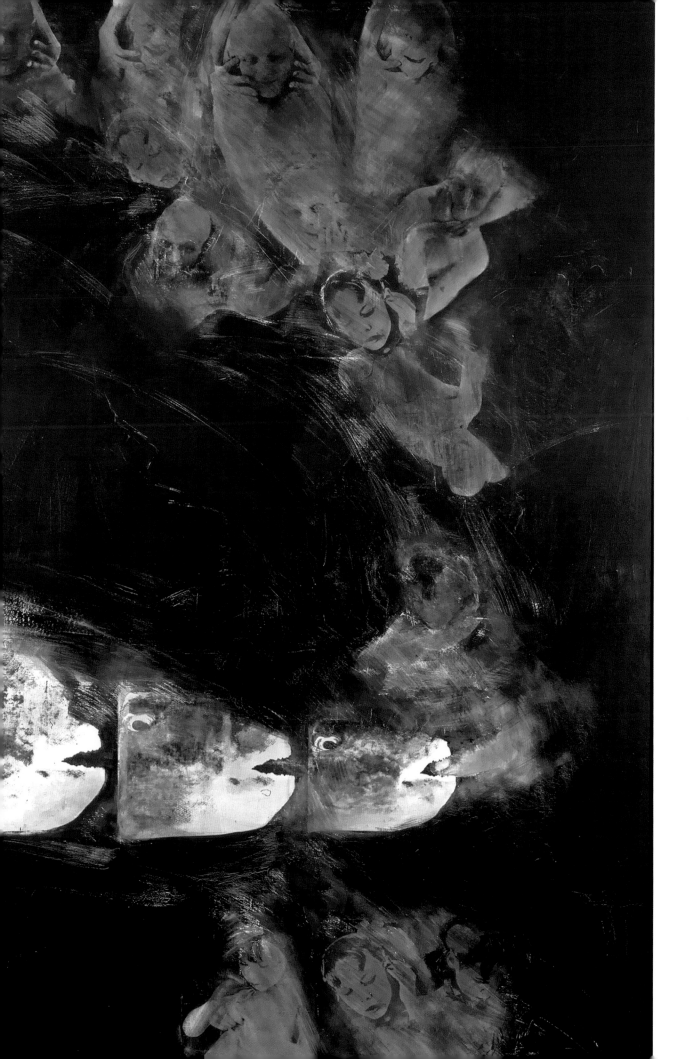

She is visited by birds and turtles

...is bora
...iva uma gestação premeditada
...abisca contrações em paredes coladas
...visualiza as emoções
...es explodir em renascimento

FOLLOWING THE DOTS

Lucy R. Lippard

THE NOTION OF COLLABORATION IS SIGNIFICANT in particular ways to women artists. To begin with, it neatly subverts the emphasis on isolated individual "genius" fostered by patriarchal capitalism and modernist alienation. Secondly, it provides mutual support systems in often hostile circumstances. Thirdly, if offers instant feedback, an intimate audience with whom it is possible to exchange rather than impose. Lastly, but perhaps most important, collaboration enriches individual insights in areas unexplored by men.

The need for such insights is clear when we hear that at the last São Paulo Biennial the theme was "life", but only one woman was included in the Brazilian representation. (That's "half life," and it omits the "better half"). The development of arts and theory around women's lived experience began some seventeen years ago with the new wave of feminist art, but seventeen years is not much time to combat the conditioning of millenia. Today, the crucial issues are how to hang onto the gains made in the first decade of the new feminism and how to continue, at the same time, to develop and deepen our knowledge of our own lives. Despite the strides taken, women

Renascimento •• *Rebirth*, 1987
[página do livro *Connections/Conexus*]
serigrafia sobre papéis artesanais ••
silkscreen on handmade papers
21 x 13,5 cm
Coleção •• Collection Barnard Archives
and Special Collections, New York

UNINDO OS PONTOS

Lucy R. Lippard

PÁGINAS •• PAGES 95–7
Conexus •• Connections Project, 1985–9,
em colaboração com •• in collaboration
with Sabra Moore.
[livro de artista •• artist's book]
oito cadernos em xerox, capa em serigrafia ••
eight booklets in xerox and cover in silkscreen
21 x 13,5 cm
Edição •• Edition 600 exemplares •• copies

A NOÇÃO DE COLABORAÇÃO É PARTICULARMENTE importante para as mulheres artistas. Em primeiro lugar, subverte nitidamente a ênfase no "gênio" individual estimulado pelo capitalismo patriarcal e pela alienação modernista. Segundo, fornece sistemas de apoio mútuo em circunstâncias muitas vezes hostis. Terceiro, oferece um retorno imediato, um público íntimo com o qual é possível um intercâmbio, em vez de uma imposição. Por fim, a colaboração, e talvez este seja o aspecto mais importante, enriquece a percepção individual em áreas não exploradas pelo homem.

A necessidade de compreender esses aspectos se torna clara quando sabemos que o tema da última Bienal de São Paulo foi "vida" e que apenas uma artista mulher estava entre os artistas brasileiros selecionados – isso é somente "metade da vida", e omite a "melhor parte". O desenvolvimento da arte e da teoria relacionadas à experiência vivida pelas mulheres começou há 17 anos com o novo movimento de arte feminista, mas 17 anos não são suficientes para combater o condicionamento de milênios. Hoje, a questão crucial é saber como, a um só tempo, manter o que foi conseguido

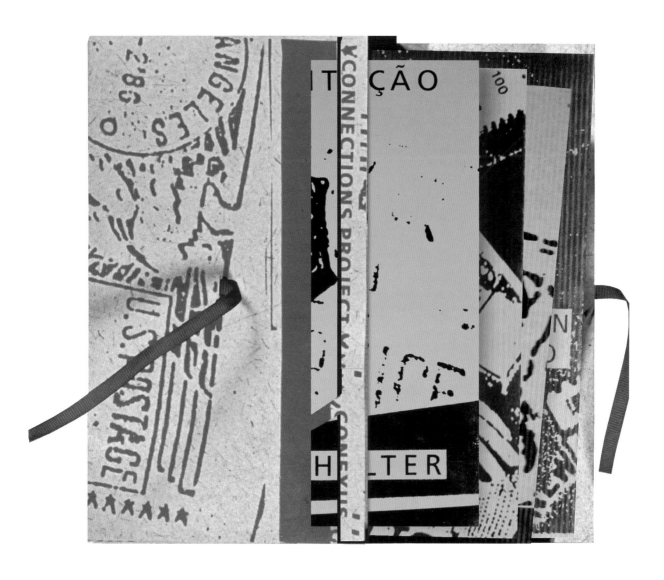

FOOD
ALIMENTO

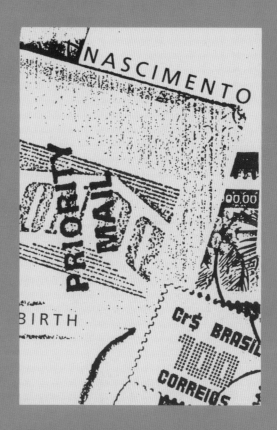

NASCIMENTO

BIRTH

HABITAÇÃO

SHELTER

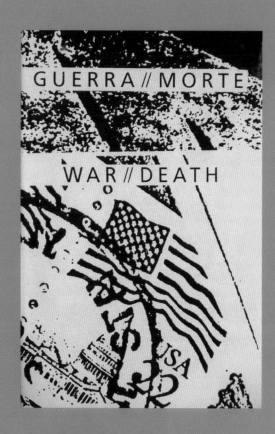

GUERRA // MORTE

WAR // DEATH

Conexus •• Connections Project, 1985–9
Exposição coletiva organizada por Josely Carvalho
e Sabra Moore com 32 artistas brasileiras e norte-
americanas, e livro original com 150 artistas ••
Collaborative exhibition organized by Josely Carvalho
and Sabra Moore with 32 artists from Brazil and the
United States and original artist's book with 150 artists.
Museum of Contemporary Hispanic Art, New York
cortesia •• courtesy Barnard Archives and Special
Collections, Barnard Library, Barnard College, New York

artists are still embattled in a man's world, as the Guerrilla Girls' posters and "report cards" have so successfully pointed out.

These issues comprise the not-so-hidden agenda of the *Connections Project/Conexus*, readable between the lines of ink, paint, yarn, thread, wire of the works in the show and the multi-booklet series. The organizers – Josely Carvalho and Sabra Moore – have participated in various kinds of collaborations within their own work and milieux for several years now. The program for *Connections Project/Conexus* was therefore vast and fearless. Some of the artists who received the first questionnaire were overwhelmed by its scope. Yet the breadth of this project reflects the breadth of the overall, global, feminist art enterprise.

At a recent meeting of women artists from eight "American" countries, wich took place at the time of the Third World Biennial in Habana, Cuba, the concerns that were raised as we went around the circle were precisely those that have preoccupied North American feminist, though cultural differences arose in the way they were expressed or experienced. They included: the double life and double social responsibility of the international art world; the disparity in prices between women's and men's work; the ways class differences affect feminist art; and the always immensely complex question of how the female experience surfaces in the images and forms of the art itself.

Artists are not accustomed to being asked to respond to global issues. Neither are women. Yet there is clearly a mandate for woman's voices to be heard on all the life-and-death themes *Connections Project/Conexus* incorporates. And culture is one of the prime vehicles of transmission. Public discourse is male-dominated in most societies. The visual arts offer women voices that can whisper through the cracks in the walls and yell over the walls and touch across distant spaces. Moore and Carvalho plunge right in: "What is your reality and/or fantasy about birth, contraception, abortion", they ask, "about shelter, sex, housing, agribusiness, movies, beauty as a cultural value, prolongation of life, cultural imperialism, the role of multinational corporations, destruction of natural resources, unions, institutional racism, the role of the church as a tool of survival or repression, prison conditions, legal rights, political systems, the threat of World War III?"

These eight deceptively lovely little books (and the exhibition of larger works, not completed at this writing) might be seen as prolongations of female stereotypes in their delicacy and small format. But in fact they signify strength without bombast. They become a palimpsest of imagery – surprisingly similar, unsurprisingly diverse. Certain "female" images recur, but that is no longer a controversial issue. We know, after seventeen years of looking at women's art, that women do indeed work from their own social, biological, and political experience.

The artworks run a gamut of styles and mediums, flattened and simultaneously heightened by black-and-white Xerox – that technological monster which, when tamed, becomes a friend. There is also a subtly subversive element in this means of reproduction. Xeroxing original art in order to distribute it more widely counters the exaggerated commercial respect for the precious object – which is in fact precious, but not because of its physical uniqueness or its market value. Art that communicates through the mails meet

na primeira década do novo feminismo e continuar desenvolvendo e aprofundando nosso conhecimento sobre nossas próprias vidas. Apesar do progresso alcançado, artistas mulheres ainda batalham em um mundo dominado pelo homem, como os cartazes e os "boletins" criados pelas Garotas de Guerrilha [*Guerrilla Girls*] puderam mostrar com muita perspicácia.

Essas questões fazem parte da não-tão-oculta agenda do *Connections Project/Conexus*, e podem ser lidas nas entrelinhas das pinturas, cores, fios, linhas e arames dos trabalhos expostos e do livro coletivo. Josely Carvalho e Sabra Moore, suas organizadoras, têm partilhado experiências e colaborado há muitos anos com várias outras propostas artísticas. O programa do *Connections Project/Conexus*, portanto, é vasto e audacioso. Algumas artistas que receberam o primeiro questionário ficaram assustadas com o seu escopo, porém o alcance desse projeto reflete a enorme extensão e amplitude do movimento artístico feminista.

Em uma recente reunião de artistas mulheres de oito países "americanos", realizada por ocasião da Bienal do Terceiro Mundo em Havana, em Cuba, as preocupações levantadas durante os debates foram exatamente as mesmas das feministas norte-americanas, apesar das diferenças culturais na maneira como essas preocupações foram expressas ou vividas. Entre elas, estão a dupla responsabilidade social das artistas que são esposas e mães no universo artístico institucionalizado, a disparidade de preços entre as obras de mulheres e as de homens, a maneira pela qual as diferenças de classe afetam a arte feminista e a questão permanentemente complexa de como a

experiência feminina emerge nas imagens e nas formas propriamente artísticas.

Artistas não estão acostumados a responder questões globais. Tampouco as mulheres. Há no *Connections Project/Conexus*, todavia, uma firme orientação de que a voz das mulheres sobre os todos os temas relacionados à vida e à morte seja ouvida, sendo a cultura um dos principais veículos de transmissão do que elas têm a dizer. Na maioria das sociedades, o discurso público é dominado pelo homem. As artes visuais oferecem às mulheres vozes que podem ser sussurradas através de rachaduras nas paredes e gritadas além dos muros, alcançando espaços longínquos. Sabra Moore e Josely Carvalho vão ao âmago da questão: "Qual é a sua realidade e/ou fantasia sobre o nascimento, a contracepção, o aborto [...] sobre a habitação, o sexo, a agricultura, o cinema, a beleza como valor cultural, o prolongamento da vida, o imperialismo cultural, o papel das multinacionais, a destruição dos recursos naturais, o racismo institucional, os sindicatos, o papel da igreja como instrumento de sobrevivência ou repressão, as condições nas prisões, os direitos legais, os sistemas políticos, a ameaça da iii Guerra Mundial?"

Os oito livretos enganosamente encantadores (assim como a exposição dos trabalhos maiores, incompleta no momento em que escrevo este texto) podem ser vistos como um prolongamento do estereótipo feminino, em razão de sua delicadeza e das dimensões de seu formato. Na verdade, contudo, significam força sem alarde. Tornam-se um palimpsesto de imagens, surpreendentemente semelhantes, não surpreendentemente distintas. Certas imagens "femininas" se repetem, porém isso já não é mais uma questão controversa. Após 17 anos

Birth •• Nascimento

Roberta Allen, United States; Joyce Cutler-Shaw, United States; Regina Coeli, Brazil; Josely Carvalho, Brazil; Ligia D'Andrea, Brazil; Bette Kalache, Brazil; Karin Lambrecht, Brazil; Margo Lovejoy, United States; Colleen Mckay & Susan Sherman, United States; Liliana Porter, Argentina; Aviva Rahmani, United States; Nicolette Reim, United States; Judite dos Santos, Brazil; Heloisa Schneiders da Silva, Brazil; Mirtes Zwierzynski, Brazil.

Food •• Alimento

Jerri Allyn & The Waitresses, United States; Emma Amos, United States; Kathie Brown, United States; Susan Crowe, United States; Patricia Horvat, Brazil; Marilyn Lanfear, United States; Loris Machado, Brazil; Pat Mercado, United States; Denise Milan, Brazil; Barbara Pollack, United States; Faith Ringgold, United States; Marcia Rothstein, Brazil; Nancy Sullivan, United States; Luise Weiss, Brazil.

Body •• Corpo

Kazuko, Japan; Inês de Araújo, Brazil; Mara Alvares, Brazil; Anna Barros, Brazil; Louise Bourgeois, United States; Emilie Chamie, Brazil; Vera Chaves Barcellos, Brazil; Kathleen Fay, United States; Ligia de Franceschi, Brazil; Iole de Freitas, Brazil; Patricia Furlong, Brazil; Adriane Guimarães, Brazil; Elizabeth Jobim, Brazil; Sonia Labouriau, Brazil; Janice Novet, United States; Mirian Obino, Brazil; Paula Pape, Brazil; Christina Parisi, Brazil; Betye Saar, United States; Carolee Schneeman, United States; Jessie Shefrin, United States; Nancy Spero & Valerie Savilli, United States; Pamela Wye, United States.

Shelter •• Habitação

Jacki Apple, United States; Lena Bergstein, Brazil; Maria Cappelletto, United States; Sharon Gilbert, United States; Grace Graupe-Pillard, United States; Ellen Lanyon, United States; Ora Lerman, United States; Joan Lyons, United States; Judith Miller, United States; Sabra Moore, United States; Louise Neaderland, United States; Solange Oliveira, Brazil; Glenna Park, United States; Lucia Porto, Brazil; Lucia Py, Brazil; Raquel Rabinovich, Argentina; Tete Riccetti, Brazil; Maria do Carmo Secco, Brazil; Lily Simon, Brazil; Mimi Smith, United States; Sonia Von Brusky, Brazil; Jeanete Zeido, Brazil.

Environment •• Meio Ambiente

Sumiko Arimori, Brazil; Alice Brill, Brazil; Maria Celia Brunello Bombano, Brazil; Vivian Browne, United States; Diana Domingues, Brazil; Gisela Eichbaum, Brazil; Vida Hackman, United States; Nina Kuo, United States; Angela Leite, Brazil; Irmgard Longman, Brazil; Kathleen Metz, United States; Maria Moreira, Brazil; Christina Maria Pape, Brazil; Lygia Pape, Brazil; Howardena Pindell, United States; Sylvia Sleigh, United States; Rose Viggiano, United States; Mary Warshaw, United States; Faith Wilding, United States.

Race •• Raça

Tomie Arai, United States; Ana Castillo, United States; Nancy Chunn, United States; Eva Cockcroft, United States; Vira & Hortencia Colorado, United States; Kathy Grove, United States; Marina Gutiérrez, United States; Maria Lidia Magliani, Brazil; Ada Medina, United States; Leticia Parente, Brazil; Jaune Quick-To-See Smith, United States; Josie Talamantez, United States; Sophia Tassinari, Brazil; Charleen Touchette, United States.

Spirit •• Espirito

Frances Buschke, United States; Vera Café, Brazil; Mary Beth Edelson, United States; Marta Gamond, Brazil; Jane Galvão, Brazil; Doraci Girrolat de Correa, Brazil; Wania Gonçalves Neves, Brazil; Alexis Hunter, United States; Michiko Itatani, United States; Maurie Kerrigan, United States; Beatriz Leite, Brazil; Anna Lieneman, Brazil; Simone Michelin, Brazil; Marilyn Minter, United States; Marina Moews, United States; Lydia Okumura, Brazil; Deborah Ossoff, United States; Vera Salamanca, Brazil; May Stevens, United States; Michelle Stuart, United States; Sarah Swenson, United States; Eliane Velozo de Souza, Brazil.

War-Death •• Guerra-Morte

Ida Applebroog, United States; Judy Blum, United States; Ely Bueno, Brazil; Maria Lucia Carneiro, Brazil; Célia Colli, Brazil; Linda Herrit, United States; Louise Kramer, United States; Laurabeatriz, Brazil; Liora Mondlak, United States; Elizabeth Nascimento, Brazil; Lucia Neves, Brazil; Anésia Pacheco e Chaves, Brazil; Catalina Parra, Chile; Silvia Ragusin, Brazil; Erika Rothenberg, Brazil; Karen Shaw, Brazil; Caroline Stone, Brazil; Cecilia Vicuña, Chile; Katie van Scherpenberg, Brazil.

de arte feminista, sabemos que as mulheres realmente trabalham, valendo-se de suas próprias experiências sociais, biológicas e políticas.

As obras de arte compreendem uma gama de estilos e técnicas aplainadas e simultaneamente realçadas pelo processo preto e branco do xérox, esse monstro tecnológico que, domesticado, torna-se um amigo. Há também um sutil elemento subversivo nesse modo de reprodução. Xerocar a arte original para distribuí-la de maneira mais ampla vai de encontro ao exagero do respeito comercial pelo objeto precioso, mas cuja preciosidade não se deve à sua unicidade física, nem ao seu valor de mercado. Arte que se comunica por intermédio do correio encontra outra arte pelo correio e se funde em uma nova criação, visualmente bilíngue. Josely e Sabra imprimiram, elas próprias, cada um dos livretos: uma combinação de capricho e ideologia, uma metáfora para as tarefas estereotipadas de trabalho intenso (ou de escravidão) que as mulheres amam e odeiam. As capas refletem o método por meio do qual as ideias voaram de Norte a Sul – selos de bandeiras, conchas, faces de antepassados, peixes, flores e a liberdade fazendo-se passar pelos Estados Unidos. Nas páginas duplas, a colaboração levou algumas vezes a uma combinação gemelar e outras a trabalhos tão levemente ligados que mais parecem filhas rebeldes ou primas distantes.

Quando a antropóloga Shirley Ardener se dedicou a estudar a visão de mundo das mulheres em diferentes grupos, concluiu que, apesar de ninguém ser exatamente igual a algum outro, cada padrão de comportamento parece mostrar parte de um modelo partilhado. "Para compreender isso, devemos imaginar uma série de telas com aberturas que aparecem em lugares diferentes. Através de uma, podemos perceber um olho e uma orelha, através de outra, uma orelha e um nariz diferentes, de uma terceira, um olho, um nariz e uma boca, e assim por diante. Cada vislumbre é diferente em seus detalhes, mas permite evidências suficientes para construir a estrutura de um rosto e arriscar um salto imaginativo, a suposição da estrutura subjacente [...]"[1].

O "rosto" de *Connections Project/Conexus*, do mesmo modo, oferece um *patchwork* da desconhecida forma global da vida das mulheres. Não se chega a uma conclusão com base nessas evidências, mas os padrões estão presentes de maneiras sutis, disseminadas e tantalizantes, bem como resplandecentes em sua diversidade e complexidade. Se as vozes individuais ainda estão abafadas, esse coro de imagens, ao soar pelo hemisfério, poderá se tornar mais audível.

Nota

1   Shirley Ardener. *Perceiving women*. New York: John Wiley & Sons, 1977, p. XIX.

other art through the mails and fuses into a new, visually bilingual creation. Carvalho and Moore printed each booklet themselves, a combination of whimsy and ideology that is a metaphor for the stereotypically labor-intensive (or slave labor) tasks that women both love and hate. The books' covers mirror the method by which the ideas winged their way North and South – stamps of flags and shells and forefathers' faces and fish and flowers and liberty masquerading as the US. In the double-spreads of pages, collaboration has sometimes led to twinning and at other times has spawned work so tenuously connected that it resembles a rebellious daughter or a distant cousin.

When anthropologist Shirley Ardener set out to study women's world views in different groups, she found that although no one was exactly like any other, each pattern of behavior seemed to display a part of a model possessed in common. "To understand this," she wrote, "one may imagine a set of screens in which gaps appear in different places. Through one screen an eye and an ear can be discerned, through another a different ear and a nose, and through another, an eye, a nose and mouth, and so forth. Each glimpse is different in detail, but given enough evidence we can construct the structure of a face to risk an imaginative leap, to make a guess at the underlying structure".[1]

The "face" of *Connections Project/Conexus* similarly offers a patchwork – the unknown global form of women's lives. No conclusions can be drawn from this evidence, but the patterns are there, subtle and pervasive and tantalizing – and sparkling in their diversity and complexity. If individual voices are still muted, this chorus of imagery, ringing through the hemisphere, may be more audible.

Note

1 Shirley Ardener. *Perceiving women*. New York: John Wiley & Sons, 1977, p. XIX.

VISITATIONS

Lucy R. Lippard

Ela soluçou enquanto sonhava que havia
queimado a criança que um dia foi ••
She wept as she dreamt she had burnt
the child she once was, 1991
serigrafia e acrílica sobre papel queimado
em caixa de acríico •• silkscreen and acrylic
on burnt paper encased in plexiglass box
147 x 122 x 7,6 cm

JOSELY CARVALHO HAS LONG BEEN VISITED BY birds and turtles. In her art, she in turn visits the places they evoke, the places she has lived. Brazil and the United States are the prime sites of her dual citizenship and the cultural duel that takes place in her art.

Much has been said about the Brazilian obsession with the body, the "somatic discourse" dissimilarly reflected in the arts of Hélio Oiticica, Lygia Clark, Regina Vater, Jonas dos Santos, and others. Carvalho's is a geopolitical version, at once entirely personal and incorporating broader socio-mythical implications. Creating her own "country", her own turf, is both an expression of nostalgia for childhood and a declaration of independence from the two nations to which she owes allegiance.

Carvalho has never recognized boundaries between mediums either. She was trained as an architect and printmaker, has painted, performed, made sculpture, installations, video and writes poetry. She has said she uses different voices as "a metaphor for the fragments that make up our lives"[1] – a condition women seem to experience more than men do. Her view of history (her own

UNINDO OS PONTOS

Lucy R. Lippard

De noite vermelha, rugindo... ••
At Night, Red and Roaring, 1990
serigrafia e acrílica sobre tela e acrílico ••
silkscreen and acrylic on canvas and plexiglass
225 x 130 x 200 cm

PÁGINAS •• PAGES 108–9
Cerimônia das asas abertas [tríptico] ••
The Ceremony of Wing Opening [trypthic], 1988
serigrafia e acrílica sobre tela e madeira ••
silkscreen and acrylic on canvas and wood
183 x 315 x 20,3 cm

HÁ MUITO TEMPO, JOSELY CARVALHO TEM recebido visitas de pássaros e tartarugas. Em troca, ela visita, em sua arte, os lugares que eles evocam, os lugares em que já viveu. Brasil e Estados Unidos são os lugares de sua dupla cidadania e do duelo cultural que existe em sua arte.

Já se disse muito a respeito da obsessão brasileira com o corpo, o "discurso somático" refletido de formas heterogêneas nas obras de Hélio Oiticica, Lygia Clark, Regina Vater e Jonas dos Santos, entre outros. A versão de Josely é geopolítica, a um só tempo inteiramente pessoal e dotada de implicações sociomíticas mais amplas. Criar o próprio "país", o próprio quinhão, é tanto expressão de nostalgia de sua infância quanto declaração de independência das duas nações às quais deve lealdade.

Josely jamais reconheceu fronteiras entre técnicas artísticas. Arquiteta e gravadora, pinta, faz *performances* e esculturas, monta instalações, dirige vídeos e escreve poesia. Diz que utiliza diferentes vozes como uma "metáfora para os fragmentos que compõem nossas vidas"[1] – algo que as mulheres parecem vivenciar mais que os homens. Sua visão da história (da sua própria e da de outras mulheres envolvidas em acontecimentos globais) não é linear,

At night, roaring and red, the forest looks to be at war.

'An orca in captivity is like an eagle in a parakeet cage.'

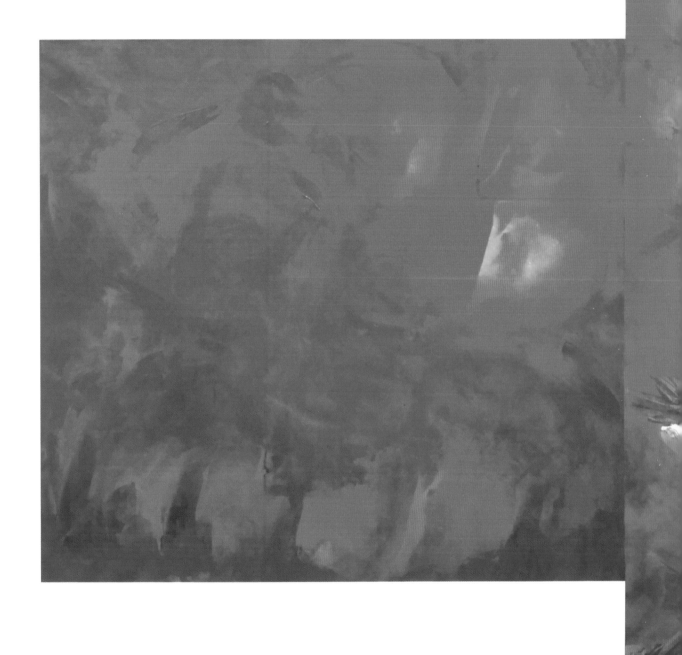

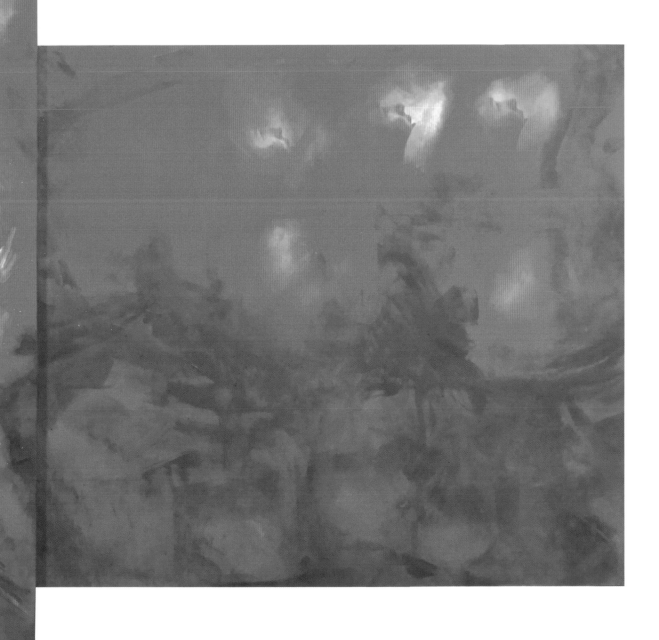

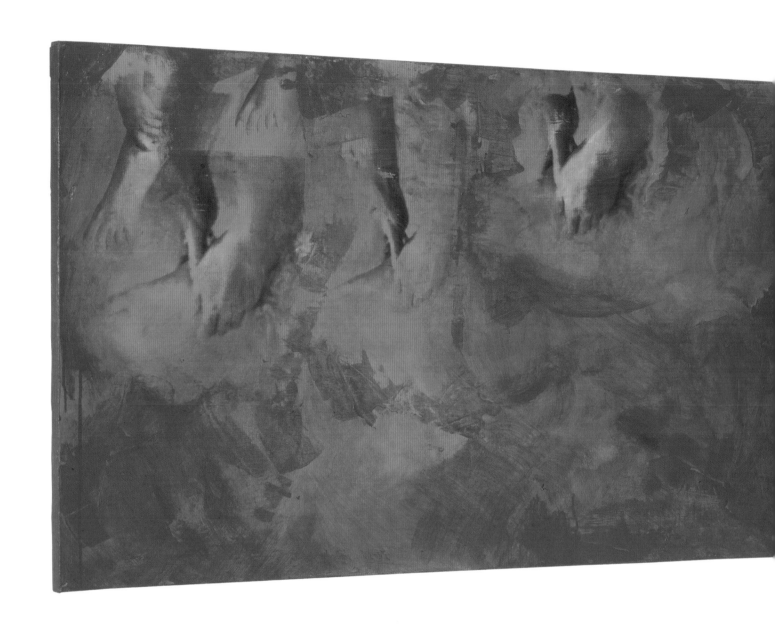

Mãos e pés atados por pregos e cravos [díptico] ••
Hands and Feet are Joined by Bolts and Screws
[dypthic], 1987
serigrafia e acrílica sobre tela ••
silkscreen and acrylic on canvas
142 x 244 cm

porém tomada de múltiplos pontos de vista: "Eu procuro na história aquela verdade fantástica, mas sei que as fantasias, as memórias e as interpretações podem obscurecer a verdade".

O ativismo de Josely teve início na Cidade do México, no começo dos anos 1970, quando foi professora visitante na Escola de Arquitetura da Universidade Nacional. Ao chegar em Nova York, em 1976, deu início ao *Projeto Silkscreen*, durante o qual fez imensos estandartes ou "murais ambulantes" para marchas e protestos de grupos comunitários e políticos. Ao longo de muitos anos, foi membro de Heresies Collective, que publicou uma revista feminista sobre arte e política. É difícil, no entanto, ver sua obra mais recente como uma "arma", como ela própria a descreveu em determinado momento. Suas impermanentes imagens em serigrafia fotográfica são poeticamente subversivas, e ferem mais com pequenos toques emocionais do que com golpes de espada.

Ela chama suas séries de "capítulos" de um *Diário de imagens* em progresso, insistindo na natureza narrativa de toda a sua obra:

> É como realizar um perpétuo ritual; cada obra é uma oferenda. Ultimamente, comecei a entender que cada pintura que faço é uma página de um longo livro que só irá acabar quando eu morrer. A mulher é a protagonista na longa história. Eu uso o corpo feminino para enfrentar o abuso, o preconceito, ligações, realizações, poder e a destruição do meio ambiente. Ela representa todos aqueles que procuram uma identidade cultural... Ela é sujeito, e não objeto. Ela tem poder. Eu não poderia tratá-la como um objeto porque estaria objetificando a mim mesma.

Josely elegeu a serigrafia fotográfica como sua técnica básica, em parte porque ela pode sobrepor imagens tão densamente e imprimi-las, como faz com freqüência, sobre tecidos transparentes e outros materiais. Também permite que "chegue mais perto do mundo, mantendo, no entanto, um filtro", através do qual pode "observar as várias camadas, as diferenças e os significados da realidade". Nesse processo, evoca a transparência dos diferentes planos da memória. Seus fragmentos são rasgados, queimados, colados, costurados e remendados, e refletem tensões, conflitos pessoais, o pertencimento e o não pertencimento. Ela afirma: "Nesta cultura, a obsessão pela classificação e pela rotulação talvez provenha do medo de compreender sutilezas, camadas e diferenças".

Pode ser que os artistas sejam sempre expatriados e exilados dentro de si mesmos, mas Josely, em particular, tem explorado a experiência liminar de "estar entre", a qual pode ser uma espécie de purgatório. Em 1987, em colaboração com a artista nova-iorquina Sabra Moore, produziu *Connections Project/Connexus*, exposição itinerante que reuniu 150 artistas mulheres do Brasil e dos Estados Unidos. Como resultado, mais que se reconectar com ambos os países, descobriu que podia se afastar emocionalmente para estabelecer seu próprio território e formar a paisagem de suas origens pessoais. "Eu cooptei a minha 'diferença', diz. De certa forma, por intermédio da reintegração de suas nacionalidades, Josely está voltando para casa, ao mesmo tempo que reconhece que o lar será sempre ilusório. Em uma "Constituição" para esse novo reino, ela cria um lugar onde pode falar com liberdade, onde florescem os direitos humanos

and that of other women caught up in global events) is not linear but is taken from multiple vantage points: "I look for that fantastic truth in history and yet know that fantasies, memories, interpretations can blur the truth".

Carvalho's activism began in Mexico City in the early 1970s when she was a visiting professor at the School of Architecture at the National University. When she came to New York in 1976, she started *The Silkscreen Project*, where she made large banners or "walking murals", for marches and demonstrations by community and political groups. For several years she has also been a member of the Heresies Collective, which publishes a feminist journal of art and politics. It is difficult, however, to see Carvalho's more recent work as a "weapon", as she once described it. Her transient photo-silkscreened images are poetically subversive, wounding with emotional pinpoints rather than sword thrusts.

She calls her series "chapters" from an on-going *Diary of Images*, insisting on the narrative character of all her work:

> It's like performing a perpetual ritual; each work is an offering. Lately I have begun to understand that each painting I make is a page in a long book that will only finish when I finish. The woman is the main protagonist in the long story. I use the female body to confront abuse, prejudice, attachments, achievements, power, and environmental destruction. She is everybody searching for a cultural identity... She is a subject, not an object. She has power. I couldn't treat as an object because I would be objectifying myself.

Carvalho has chosen photographic silkscreen as her basic medium in part because she can layer it so densely, and print it, as she often does, on filmy fabrics and other materials. It also enables her to "get closer to the world, yet maintain a screen through which I can view the various layers, differences, and meanings of reality". The transparency of different planes of memory is evoked in the process. Her fragments are torn, burnt, glued, sewn, patched, reflecting tensions, personal conflicts, belonging and not belonging. "The obsession for categorizing and labeling in this culture", she says, "stems perhaps from a fear of understanding subtleties, layers and differences".

Maybe artists are always expatriated or internal exiled, but Carvalho in particular has explored the liminal experience of "in between", which can be a kind of purgatory. In 1987, she collaborated with New York artist Sabra Moore on the *Connections Project/Conexus*, a touring exhibition that brought together 150 women artists from Brazil and the U.S. As a result, rather than reconnecting to both countries, she found that she could emotionally remove herself to establish her own territory, to form the landscape of her personal origins. "I have co-opted my 'difference'", she says. By reintegrating her nationalities, she has in a sense come home, while recognizing that home will always be elusive. In a "Constitution" for this new realm, she creates a place where she can speak freely, where human and political rights flourish, borders and minds are open, and where the body may be liberated and represented without fear of censorship.

In 1987, Carvalho began the series *She Is Visited by Birds and Turtles* by burning paper that represented childhood memories, so that she could reconstruct history from the ashes:

A visita, 1987 [fragmento]

tartaruga-de-couro tracajá tartaruga-do-mar
                              [tartaruga jururá
dizem que as tartarugas se encontram nas regiões
                              [tropicais
seus membros locomotores são adaptados à natação
sua carne apreciada tende a pesar até oitocentos quilos
de sua carapaça pentes e bolsas são feitos
dizem que as tartarugas viviam no período dos
                              [dinossauros
por proteção escondem suas cabeças na carapaça
tartaruga-de-pente tartaruga-do-mar tracajá
                              [tartaruga-lira jururá

no ano da graça de 1986
nutrida de cores linhas texturas
carrega sua casa por dilúvios e vendavais
sem conhecer a densidade de suas plumas
pinta estradas
grava a dureza de seu esqueleto
desenha novos recantos de mistério
assim os golpes de martelo
não atingem seu abrigo
construído com o pau da separação

no ano da graça de 1987
visualiza o silêncio.

A visita dos pássaros e das tartarugas ••
She is Visited by Birds and Turtles, 1987
serigrafia e acrílica sobre papel queimado,
conservado em caixa de acrílico ••
silkscreen and acrylic on burnt paper
encased in plexiglass box
76,2 x 178 x 10,2 cm

The visit, 1987 [fragment]

tartaruga-de-couro tracajá tartaruga-do-mar
                              [tartaruga jururá
it is said turtles are the oldest living group of
                              [reptiles
they existed at the time of the earliest dinosaurs
they can pull their heads into their shell for
                              [protection
turtles are found in tropical regions
their eggs are eaten in many parts of the world
from their shell combs and handbags are made
tartaruga-de-pente tartaruga-do-mar tracajá
                              [tartaruga-lira jururá

in the year of grace of 1986
nurtured by colors lines textures
without knowing the density of her feathers
she carries her shell through floods and storms
paintings roads she detects
the hardness of her skeleton
and encounters the corners of mystery
the pounding of the hammer
never reached her home
built of separation wood

in the year of grace of 1987
she visualizes silence.

e políticos, onde as fronteiras e as mentes estão abertas, e onde o corpo pode ser liberado e representado sem temer a censura.

Em 1987, Josely deu início à série *A visita dos pássaros e das tartarugas*, queimando papéis que representavam memórias de infância, para reconstruir das cinzas a história: "Como você sabe, além de destruir, o fogo recria". A maior parte da série está em vermelho sobre vermelho: "O fogo se transformou em sangue cerimonial e se tornou parte de uma investigação sobre a natureza do sacrifício – tanto o necessário quanto o desnecessário". A tartaruga, que vive sobre a terra e a água, tornou-se uma metáfora para sua situação híbrida. Em *Noticiário da tartaruga*, sua obra de 1988 para o painel Spectacolor da Times Square, a tartaruga representava questões ambientais e o fardo da dívida latino-americana.

Em sua última série, foco da atual exposição, a intensidade dos vermelhos se desbotou em tons mais pálidos, embora a mulher sangrando, como Gaia (Terra) que sangra, continue sendo uma figura central – em alusão também à sobrevivência cultural. Cores iridescentes foram adicionadas. Delicadeza, fragilidade e vulnerabilidade, elementos perenes da arte de Josely, chegaram à superfície. Temas dolorosos não se misturam com sua beleza visual, e evocam uma espécie de desassossego e tensão. "O corpo é a paisagem da minha alma/ uma procissão de memórias/ à origem do ser mulher". A imagem central dessa série é a de um pássaro abatido, ao voar de encontro à janela de vidros grossos do ateliê da artista, um sacrifício à arte que a comemora com fotografias e gravuras dessa imagem. Em *A tartaruga volta ao mar após depositar o seu futuro incerto nas areias de mel* (1991), pássaros

frenéticos parecem atacar uma mulher que grita. *Mea culpa!*, grita o pássaro em voo (também o título de um trabalho de 1984), como se a vítima culpasse a si própria. Sempre há, no entanto, uma reivindicação. "No meu trabalho, os pássaros morrem e voam ao mesmo tempo... Cresci com uma combinação dos conceitos espirituais de sacrifícios católicos e africanos."

Em *Ela esconde o rosto enquanto os pássaros devoram seus olhos de vidro* (1991), cinco painéis contam a história de duas baleias fêmeas antagonistas em cativeiro, uma das quais sangra até a morte diante de uma plateia; isso é justaposto a uma figura de mulher. Nas três estrelas vermelhas de *Meu corpo é meu país, vermelho e rugindo à noite* (1990), o corpo feminino é outra vez um campo de batalha. Josely frequentemente integra a poesia ao trabalho visual, como faz neste catálogo. Aqui, os textos impressos sobre plexiglass dizem: "à noite, vermelha e crepitante, a floresta parece estar em guerra", e "uma orca em cativeiro é como uma águia em uma gaiola de periquito".

Meu corpo é meu país também é uma resposta política à discriminação cultural e racial que Josely enfrentou nos Estados Unidos, e que se exacerbou com as "mil e uma noites de horror em nome da Pax Americana", cujo início ocorreu em 16 de janeiro de 1991, a apoteose do nacionalismo que a artista busca apagar em sua arte. "Choro lágrimas de crepúsculo/ enquanto a operação cirúrgica é transmitida", pode-se ler em um de seus poemas recentes. Nesse contexto, uma das instalações da exposição – com bandeiras brasileiras e americanas dobradas no chão, formando uma passarela até um recipiente de sangue, em cima de uma coluna e, atrás disso, a luz de uma janela aberta levando à esperança e à fuga – pode ser

PÁGINA •• PAGE 117

O estupro e a vingança de Gaia I ••
The Rape and Revenge of Gaia I, 1988
serigrafia sobre papel amate, galhos roídos
por castores e ráfia •• silkscreen on Amate
paper, branches gnawed by beavers and raffia
300 x 270 cm
Museo del Barrio and Creative Time, New York

*Renascimento: a visita dos pássaros e da
tartaruga* •• *Rebirth: She is Bisited by the
Birds and the Turtle*, 1987
serigrafia sobre papel amate, gaze queimada,
galhos roídos por castores, ráfia, cinzas e
tartarugas empalhadas •• silkscreen on Amate
paper, burnt gauze, branches gnawed by
beavers, raffia, ashes and stuffed turtles
200 x 76 x 100 cm
Maryland Institute College of Art, Baltimore, MD

Xetá, 1994
[instalação •• installation]
serigrafia sobre papel amate, ráfia, galhos
roídos por castores, pó de serra e vídeo em dois
monitores •• silkscreen on Amate paper, raffia,
branch gnawed by beavers, sawdust and video
shown in two monitors
Maryland Institute College of Art, Baltimore, MD

PÁGINAS •• PAGES 122–3

Noticiário da tartaruga •• *Turtle News*, 1988
painel de luz eletrônico mostrado a cada
onze minutos durante o mês de novembro ••
computer light animation shown every eleven
minutes during the month of November
Spectacolor Board, Times Square, Public Art
Fund, New York

"Fire recreates, you know, as well as destroys". The series is mostly red on red: "The fire evolved into ceremonial blood and became part of an investigation into the nature of sacrifice – both necessary and unnecessary". The turtle, which lives on both land and water, became a metaphor for her hybrid statehood. In her 1988 Times Square Spectacolor Board piece *Turtle News*, the turtle stood for environmental issues and the burden of the Latin American debt.

In her latest series, the focus of this current show, the reds intensity has been bleached to paler hues, although bleeding woman as bleeding Gaia (Earth) remains a central figure, referring as well to cultural survival. Iridescent colors have been added. Delicacy, fragility, and vulnerability, always elements in Carvalho's art, have risen to the surface. Painful subjects do not quite merge with their visual beauty, evoking a sense of restlessness and tension. "The body is the landscape of my soul/ A procession of memories/ to the origin of being female". The central image of this series is that of a bird that was killed when it flew into the artist's plate glass studio window, a sacrifice to the art that commemorates it through photographs and prints of its image. In *The Turtle Returns to the Sea After Depositing its Uncertain Future on the Honeyed Sands* (1991), frantic birds appear to attack a screaming woman. *Mea culpa!*, screams the bird in flight (also a title of a 1984 work), as though the victim blames herself. Yet, there is always a reclamation. "In my work, birds die and fly at the same time... I grew up with a combination of Catholic and African spiritual concepts of sacrifice".

In *She Hides Her Face While the Birds Devour Her Eyes of Glass* (1991), five panels tell the story of two antagonistic female whales in captivity, one which bled to death before an audience; it is juxtaposed against an everywoman figure. In the three red steles of *My Body is My Country, at Night Red and Roaring…* (1990), the female body is again a battleground. Carvalho often integrates her poetry into her visuals, as she does in this catalogue. Here the flanking texts, typeset on plexiglass, read: "at night roaring and red, the forest looks to be at war", and "an orca in captivity is like an eagle in a parakeet cage".

My Body is My Country is also a political response to the cultural and racial discrimination that Carvalho has experienced in the u.s. It has been exacerbated by the "one thousand and one horror nights in the name of Pax Americana" that began on January 16, 1991, the apotheosis of the nationalism Carvalho is trying to erase in her art. "I cry sunset tears/ while he broadcasts the surgical operation", she wrote in a recent poem. In this context, an installation in this exhibition – with Brazilian and American flags, folded on the floor, forming a passageway to a vessel of blood on a column, and behind, the light of an open window leading to hope and escape – may be seen as another painful journey through warring fanaticisms. A second installation, a coffin/light box on the sand with photographic images, including some of the Baghdad, refers directly to the war in the Middle East.

A *Box of Ancestors* (1990) asks the question "Does culture have color?" (the title also of her brief essay published in M/E/A/N/I/N/G, in May 1990). Resisting restrictive "cultural dependency", she points out that most Latin Americans prefer to classify themselves by country or origin rather than as "Hispanic", which blurs their historical

vista como mais uma dolorosa viagem pelo fanatismo bélico. Uma segunda instalação, um caixão iluminado sobre a areia com imagens fotográficas, entre as quais algumas de Bagdá, alude diretamente à guerra do Golfo.

Caixa dos ancestrais (1990) pergunta: "A cultura tem cor?" (título de seu breve ensaio publicado em M/E/A/N/I/N/G, em maio de 1990). Ao resistir à "dependência cultural" restritiva, ela afirma que a maioria dos latino-americanos prefere ser tratada por referência a seu país de origem, e não como "hispânica", que dilui sua identidade histórica. Na condição de mulher latina, Josely tem sido considerada uma "mulher de cor". "Preciso me colorir para estar com minhas irmãs?", pergunta. "Ao manter a memória ancestral desprovida de cor, eu me torno 'um outro' dentro do 'outro'? Será que tenho opções?".

É claro que ela tem e, em sua obra, Josely as oferece para outras mulheres, outras artistas, que se encontram entre culturas. Na verdade, esse lugar entre lugares é onde, cada vez mais, nós vivemos, e ele talvez se torne, um dia, um lugar onde o nacionalismo e o fanatismo percam seu fôlego.

Nota

1   Esta e as demais citações foram retiradas dos escritos da artista e de "On the Road: a conversation with Josely Carvalho", de Laura Hoptman, publicado no catálogo da Galeria Bass, Caracas, Venezuela, em 1991.

identity. Carvalho as a white Latina has been classified as a "woman of color". "Do I have to color myself to be with my sisters?", she asks. "If I keep a colorless memory of my ancestors, do I become 'an other' within the 'other'? Do I have options?"

She does, of course, and in her work she offers them to other women, other artists, who find themselves between cultures. In fact this place between places is where an increasing number of us live, and perhaps it will become a place where nationalism and bigotry can't breathe the air.

Note

1   Quotations from the artist were taken from her writings and from "On the road: a conversation with Josely Carvalho" by Laura Hoptman, published by Galeria Bass, Caracas, Venezuela, in the artist's exhibition catalogue.

In the desert of loneliness
I cry sunset tears

Does culture have color?

UMA NARRATIVA DA IMPERMANÊNCIA

Katia Canton

PÁGINAS •• PAGES 124 E •• AND 127

Meu corpo é meu país •• *My Body is my Country*, 1991
[livro de artista •• artist's book]
serigrafia e ofsete sobre papel vegetal e papel
reciclado em caixa de acetato, doze páginas ••
silkscreen and offset on vellum and recycled
paper in acetate cover box, twelve pages
21,6 x 17,8 x 2,5 cm

JOSELY CARVALHO É UMA DEVORADORA DE MITOS. Em sua trajetória, construiu uma grande cartografia de imagens, tornando sua obra repleta de experiências vividas em diversas partes do mundo. Ao longo desse processo, operou um tipo muito específico de antropofagia, descolado de obrigações ou buscas identitárias, cujo modo de funcionamento permite a disseminação de uma miríade de caminhos que abarcam todas as grandes questões da vida humana tanto em sua generalidade quanto em sua complexidade.

Cidadã do mundo, Josely viveu a infância e a juventude no Brasil; mudou-se para os Estados Unidos, a fim de estudar arquitetura, tendo cursado a Washington University, em St. Louis; lecionou arquitetura na Universidade Nacional de México (Unam) e retornou nos Estados Unidos, onde vive até hoje, apesar dos períodos cada vez mais longos passados em sua terra natal.

Sua obra se nutre da experiência pessoal e lida com a relação entre o tempo e o espaço, de acordo com uma espiral contínua que assimila imagens, sons, lembranças e cheiros retirados de seu cotidiano e de suas viagens, bem como das histórias de vida de pessoas que tem encontrado por toda parte.

A NARRATIVE OF IMPERMANENCE

Katia Canton

JOSELY CARVALHO IS A DEVOURER OF MYTHS. Throughout her career, she has constructed an important cartography of images, allowing her work to incoporate experiences having lived in various parts of the world the world. Throughout this process, the artist has performed a very specific kind of cannibalism, one that is unattached from compromises to or searches for identity, the better to allow the infiltration of myriad paths, embracing the full spectrum of life's great questions in all their generalities and complexities.

A citizen of the world, Josely spent her childhood and adolescence in Brazil, studied architecture in the United States (Washington University, in St. Louis, Mussouri), taught in Mexico (at the Universidad Nacional de Mexico/ Unam) and then returned to the u.s., where she lives to this day, alternating her life there with increasingly longer sojourns in Brazil.

The artist's work is nourished by personal experience and she deals with the relationship between time and space in a continuous spiral by assimilating images, sounds, memories and smells drawn from her own everyday life and travels and

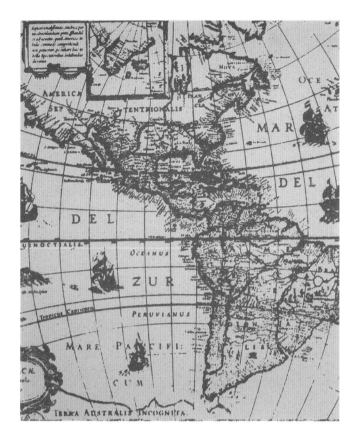

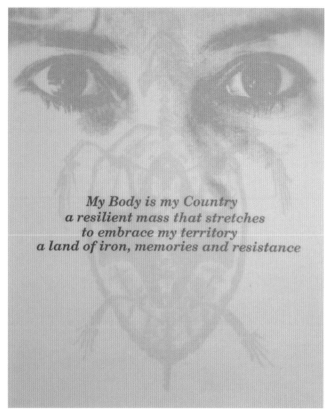

My Body is my Country
a resilient mass that stretches
to embrace my territory
a land of iron, memories and resistance

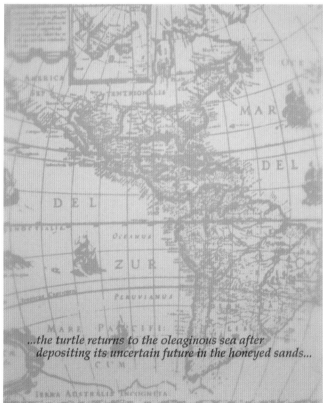

...the turtle returns to the oleaginous sea after
depositing its uncertain future in the honeyed sands...

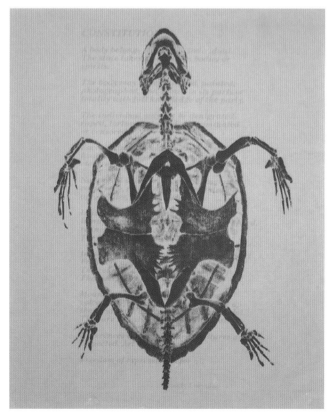

Meu corpo é meu país, 1990 [fragmento]

meu corpo é meu país
cenário iridescente
saturado de pigmentos ancestrais
antropologia da memória
geografia da história
cidadania do ser
meu corpo é meu país
barro púrpura impenetrável
pegadas de bronze
engolfado por larva fervente

meu corpo é meu país
massa compacta que se desdobra para abraçar meu território
terra de ferro, memória e resistência

My body is my country, 1990 [fragment]

my body is my country
iridescent scenery
saturated by ancestor's pigments
anthropology of memory
geography of history
citizenship of being
my body is my country
impenetrable purple clay
trailed by bronzed footprints
engulfed in hot lava

my body is my country
resilient mass that stretches to embrace my territory
land of iron memories and resistance

*Se as árvores forem destruídas,
como poderão os pássaros encontrar
um descanso?* •• If the Trees Are
Destroyed, How Can the Birds Find the
Place of Rest?, 1991
serigrafia e acrílica sobre tela ••
silkscreen and acrylic on canvas
186 x 66 cm

PÁGINAS ••PAGES 128–9

*Ela esconde sua cara enquanto os
pássaros devoram seus olhos de vidro*
[tríptico] ••
She Hides her Face while the Birds
Devour her Eyes of Glass [trypthic], 1991
serigrafia e acrílica sobre tela ••
silkscreen and acrylic on canvas
55 x 228 cm

PÁGINA ••PAGE 133

Constituição | Constitution, 1990
serigrafia sobre caixa de acrílico ••
silkscreen on plexiglass box
76,2 x 25,4 x 25,4 cm

Sua obra, portanto, não deve ser apenas vista, pois demanda um envolvimento de todos os sentidos e tem como matéria-prima a densa complexidade da memória. Nesses termos, a obra de Josely não pode ser tratada no contexto de uma herança modernista ou concreta da arte brasileira. Ao contrário da arte concreta, que floresceu no Brasil com as primeiras Bienais de São Paulo, nos anos 1950, e incitou os artistas a uma forma de abstração universalista, sintética e geométrica, dirigindo-os rumo à maturidade via o abandono dos excessos e das narrativas, a obra de Josely Carvalho sempre se teceu de acúmulos, camadas, tons e nuanças sócio-históricos.

Estudou gravura com Marcelo Grassman e Darel Valença Lins, em São Paulo, e xilogravura com Munakata Shiko, em St. Louis, Missouri. Começou sua carreira como artista em Nova York, em meados dos anos 1970, com trabalhos comunitários de base, em que uniu arte, política e sociologia. Nessa época, o suporte ideal para a criação das obras foi a serigrafia, em razão da amplitude e da presteza de seu poder de multiplicar a imagem. Murais, flâmulas, bandeiras e cartazes foram criados para o *Projeto Silkscreen*, realizado na comunidade da igreja de St. Marks in-the-Bowery, no East Village nova-iorquino. A criação de imagens foi posta a serviço de comentários sociopolíticos, e enfatizou questões relevantes discutidas nas décadas de 1970 e 1980, como o desarmamento nuclear. Nesse mesmo contexto, Josely participou da Conferência Internacional da Mulher em Copenhague e do trabalho realizado nas Comunidades Eclesiais de Base no Brasil.

A obra da artista ganha forma por meio de inclusões. A mulher sul-americana, descasada e mãe de um menino, utiliza serigrafias, pinturas e instalações para contar não apenas sua própria história, como também a de muitas outras mulheres. Em sua contundente obra, concepções do que é público e do que é privado, assim como seu próprio ser se transformam em imagens de mulheres de todo o mundo: vítimas de estupro, grávidas, mulheres que perderam entes queridos nas guerras etc.

A política norte-americana para os países do Terceiro Mundo, o direito ao aborto, o combate à violência doméstica contra mulheres e crianças, e os conflitos entre Ocidente e Oriente que fizeram do terrorismo a grande narrativa pós-moderna são assuntos e molduras para sua obra-vida. A artista se deixa contaminar pelas coisas que acontecem no mundo e forma uma grande teia em que todos os fios se interpenetram e se interceptam infinitamente. Em suas muitas viagens, ao se envolver com as questões prementes nos quatro cantos do planeta e contar histórias de mulheres e de todos os seres com suas potencialidades e necessidades, Josely pouco a pouco transformou sua obra em um *Diário de Imagens*.

Um diário pressupõe intimidade e é desse modo, ou seja, reduzindo as épicas e complexas questões do mundo para a dimensão miniaturizada do cotidiano humano, que as aborda. É sempre no jogo de dimensões, tempos e espaços que o corpo de sua obra se materializa.

A teoria da complexidade do pensador francês Edgar Morin explica a contemporaneidade à luz de uma substituição ideológica das políticas partidárias por um sistema complexo e fragmentário em que proliferam políticas pessoais, isto é, micropolíticas que incluem diversos aspectos que afetam a vida humana, como políticas ambientais, o problema da violência, a exploração do trabalho e as desigualdades sociais e civis.

the life [hi]stories of people she has encountered around the world.

Her work is not made only to be seen by the eye. It requires multi-sensorial involvement and its raw material is the dense complexity of memory. In this sense, Josely ought not to be considered within the context of either the modernist or concretist traditions of Brazilian art.

Contrary to concrete art (which flourished in Brazil during the first São Paulo art biennials of the 1950s and incited artists to a universalistic, synthetic, geometric form of abstraction, directing them to maturity through the elimination of excess and narrative), from the start Josely Carvalho's work has been woven together from socio-historical accumulations, layers, tones and nuances.

Josely studied printmaking with Marcelo Grassman and Darel Valença Lins in São Paulo and woodcut with Munakata Shiko in St. Louis, Missouri. Her artistic career began in the United States, in early 1970s, with grassroots community projects that integrated art, politics and sociology. At that moment, the ideal support for creating works was silk-screening, with the breadth and ease of its power of multiplying images. Murals, posters, banners, and flags were created at *The Silkscreen Project* (at the parish of St Marks Church in-the-Bowery, in New York's Lower East Side), where the images were at the service of socio-political commentary. Within this context, the work underlined many of the important issues of the 1970s and 1980s, nuclear disarmament among them. Within that context, Josely participated in the United Nations Mid-Decade International Women's Conference in Copenhagen and in work with the Comunidades Eclesiais de Base in Brazil.

The artist's work takes shape through inclusion. The unmarried, South American mother of a boy uses mediums such as silkscreen, painting and installations to tell not only her own story but the stories of many other women. In Josely Carvalho's powerful work, conceptions of what is public and what is private as well as her own self are transformed into multiple images of women the world over: rape victims, pregnant women, women who have suffered the loss of their loved ones in wars.

North American policy in the Third World, abortion rights, domestic violence against women and children, conflicts between the East and the West that have made terrorism the great post-modern narrative; these are the subjects and frameworks of Josely Carvalho's life-work. The artist is contaminated by the things of this world creating a great web, the threads of which interpenetrate and intercept one another endlessly. Traveling the world and becoming involved with its problems, telling the stories of women, of all beings with their potentialities and hardships, over time Josely has transformed her work into a *Diary of Images*.

To be sure, a diary presupposes intimacy and it is in this form, by reducing them to the miniaturized dimension of everyday human existence, that the artist tackles the complex, epic questions of the world. Josely's work always materializes within the play of dimensions, times and spaces.

French thinker Edgar Morin's theory of complexity explains the contemporary world in terms of the ideological replacement of partisan policies by a complex, fragmentary system that produce the proliferation of personal politics; that is, the micro-politics which include a variety of aspects that affect human life, such as

CONSTITUTION

A body belongs only to the individual.
The state takes no claim on bodies or
spirits.

The body may be represented, painted,
photographed, and shown in its parts or
totality with full knowledge of the party.

The individual may not be denigrated,
raped, tortured, starved, discriminated
or censored.

Each individual has the right to choose
health care, education, food, housing,
clothing and the right to die.

No special value is placed on language,
color, race, religion, sexual orientation,
age, gender, class or ideology.

Individuals may create their own flag.
It may be cherished, burned, torn, idealized,
re-invented, patched, loved, hated.
The flag's function is aesthetic.

Individuals may create their own passport.
Frontiers and borders are open to all.
The country does not have citizens.
The passport's function is aesthetic.

Mountains, rivers, oceans, prairies,
volcanoes, fishes, birds, turtles, make up
the landscape where individuals inhabit.
They are as valued as the individuals.

Differences are appreciated. Cultures are
respected. Art is necessary.

Freedom of expression is for all.

Josely Carvalho

environmental policies, the problem of violence, of labor exploitation, and of social and civil inequality. Even before the end of the Cold War being played out as the background to this process, even as it destabilized the apparent organization of the world into bi-partisan policies, Josely Carvalho moved from a discourse against totalitarian North American policies to a gaze and a sensibility directed towards the universe of women, children (*Cirandas*), Indians (the *Xetá*), animals (the symbol of the *tracajá* turtle) and ethnic minorities (the Gulf War, the *Armenian Memorial*). Printmaking, photographs, installations, paintings, videos, the Internet – all the supports used by the artist expand and take form like the subjects and meanings that flow within the spaces of these stories.

During the Gulf War, Josely Carvalho's work began to include images of mourning in which self-portraits of the artist become metonymies of pain. In her *Cirandas*, the artist enumerates the number of victims of violence in Brazil and in the u.s.; this wheel-shaped installation includes phrases and poems written by the children themselves. In the Memorial Armenia, constructed for the subway station of the same name in São Paulo, she used glass and ceramics to render a deeply affecting poetic memorial to the Armenian Genocide of 1915 in Turkey.

Josely Carvalho's *Diary of Images* is constructed from an intimacy with the body itself. Her artist's body is a pulsating one whose skin and pores absorb sensations from the world. One slowly realizes that this diary is the body itself and that the body is a shelter – the first shelter.

An artist and a woman who is always moving from one place to another sees no shelter in the idea of a homeland. Her country is her body, which she carries with her as she embraces life, in the manner of the endangered *tracajá* turtle which stands as an emblem for her entire work, which expands and becomes an infinite promise of shelters, havens of affection, protection and safety.

In hypertext, Josely Carvalho has found a perfect medium for the infinite proliferation of developments of her *Diary-book of images* about the problem of shelter. These interconnected stories make it possible for the artist to tackle the idea of impermanence and the mutability of identity, to mix subjects and images such as those of the *tracajá* with a Tantric Hindu temple.

Josely Carvalho's hybrid web encompasses myriad allusions, a mélange of meanings, as attested by Salman Rushdie's defense of his own writing (which has stirred controversy and persecution and led the Iranian writer to exile in England):

> *The Satanic Verses* celebrates hybridity, impurity, intermingling, the transformation that comes of new and unexpected combinations of human beings, cultures, ideas, politics, movies, songs. It rejoices in mongrelization and fears the absolutism of the Pure. *Mélange*, hotchpotch, a bit of this and a bit of that is *how newness enters the world*. If is the great possibility that mass migration gives the world, and I have tried to embrace it. *The Satanic Verses* is for change-by-fusion, change-by-conjoining. It is a love-song to our mongrel selves.

In its own way, Josely Carvalho's work is a love song to life and its mixtures. It refers to the infinite shedding of skins that enfold a single body-shelter – the virtualized transformations of a phoenix that allow it retain layers of skin and life, transforming them into a voracious, incisive, poetic, mutant memory that echoes the world's multiple vibrations.

Antes mesmo do término da Guerra Fria, que serviu de pano de fundo do processo que levou à desestabilização da aparente organização mundial em políticas bipartidárias, Josely Carvalho passou de um discurso contra as políticas totalitaristas norte-americanas para uma sensibilidade e um olhar voltados para o universo das mulheres, das crianças (*Cirandas*), dos índios (*Xetá*), dos animais (a simbologia das tracajás) e das minorias étnicas (guerra do Golfo, *Memorial Armênia*). Gravuras, fotografias, pinturas, instalações, vídeos e internet, todos estes são suportes utilizados pela artista que se expandem e ganham corpo, à medida que temas e sentidos inundam o espaço das histórias.

Durante a guerra do Golfo, os trabalhos de Josely Carvalho passaram a incluir imagens de luto, em que autorretratos se tornaram metonímias da dor. Em *Cirandas*, ela enumera as vítimas da violência no Brasil e nos Estados Unidos; sua instalação em forma de roda contém frases e poemas escritos pelas próprias crianças. Em *Memorial Armênia*, construído para a estação de metrô homônima em São Paulo, presta, em vidro e cerâmica, uma homenagem poética e emocionada ao povo armênio, massacrado pelos turcos em 1915.

A construção do *Diário de imagens* se baseia na intimidade com o próprio corpo. O corpo da artista é um corpo pulsátil, cujos poros absorvem as sensações do mundo. Pouco a pouco, percebe-se que esse diário é o próprio corpo e que o corpo é um abrigo – o abrigo primordial.

Artista e mulher que não para de se deslocar, Josely não vê abrigo na ideia de pátria. Seu país é seu próprio corpo, e ela o carrega para abraçar a vida, tal como a tracajá, ameaçada de extinção, permanece um emblema de toda sua obra, que se expande e se torna uma promessa infinita de abrigos, nichos de afeto, proteção e segurança.

No hipertexto, Josely Carvalho encontrou um meio adequado para a proliferação infinita dos desdobramentos de seu *Diário-livro de imagens* sobre a questão do abrigo; essas histórias interconectadas lhe permitem assumir a ideia de impermanência e mutabilidade das identidades, bem como misturar assuntos e imagens, como fez com o tracajá e um templo tântrico indiano.

A teia híbrida de Josely abriga uma série de referências, um *mélange* de sentidos, como atestado por Salman Rushdie, que, ao defender sua própria obra, causou diversas controvérsias. Isso o fez ser perseguido e o obrigou a exilar-se na Inglaterra:

> O livro *Versos satânicos* celebra o hibridismo, a impureza, a mistura e a transformação que vêm de novas e inesperadas combinações de seres humanos, culturas, ideias, políticas, filmes, músicas. O livro se alegra com os cruzamentos e teme o absolutismo do puro. *Melánge*, mistura, um pouco disso e um pouco daquilo, é desse modo que o novo entra no mundo. É a grande possibilidade que a migração de massa dá ao mundo, e eu tenho tentado abraçá-la. O livro *Versos satânicos* é a favor da mudança-por-fusão, da mudança-por-reunião. É uma canção de amor para nossos eus mestiços.

A obra de Josely Carvalho também é, a seu modo, uma canção de amor à vida e suas misturas. Refere-se às infinitas trocas de pele que envolvem um mesmo corpo-abrigo – trata-se de transformações virtuais de uma fênix que lhe permitem manter camadas de pele e de vida, transformando-as em uma memória voraz, contundente, poética e mutante a ecoar as múltiplas vibrações do mundo.

Tempos de Luto

It's Still Time to Mourn

O estupro de Emmatroupe ••
The Rape of Emmatroupe, 1981
serigrafia e creiom sobre papel ••
silkscreen and crayon on paper
152 x 102 cm

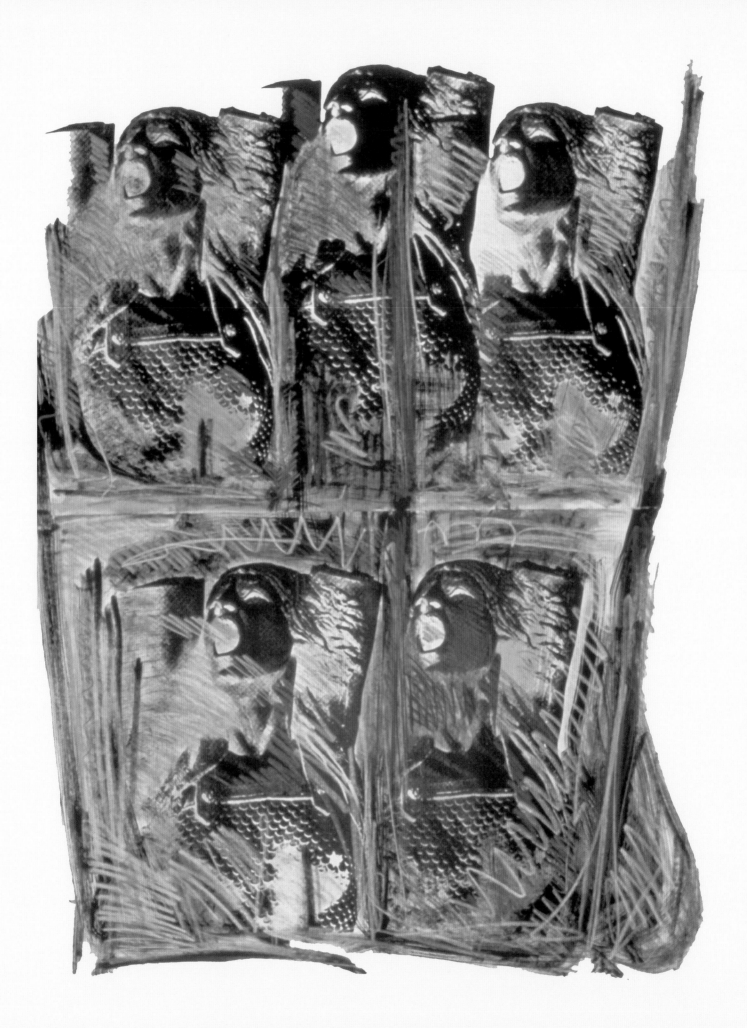

Dos livros-memória do subdesenvolvimento, 1983

era uma vez uma galinha gritona que em seu vôo rumo ao poder encontrou um galo dentro de uma tigela azul manchas amarelas de cólera rondavam as cidades hamburguesas enquanto a vida fantasmagórica de mulheres encarceradas pelos mitos de suas menstruações se encontravam com filhas e mães engravidadas pelos pais manjares incestuosos de farinha de mandioca radioatividade óleo de eucalipto baldes de água carregados por crianças sem esperança raízes familiares rasgadas pelas asas de fantasias realidade do tédio quebrada somente por aqueles que não temem as plantas carnívoras que se nutrem de solidão humana.

quantas perguntas sem resposta constroem o território da loucura? onde se esconde o barro ancestral que as formigas necessitam para construir seus ninhos de procriação? por onde passam os sons dos gritos dilacerantes quando impedidos de beber o leite seco da adolescência?

respostas são encontradas no brilho das cores que iluminam os princípios biográficos e a culpa de não adicionar seu próprio sangue quando cozinha galinha de cabidela no domingo de páscoa faz com que ela chore pelos ouvidos e sorria com o olhar hora de almoço o motorista de caminhão passa pela estrada bêbado de macheza a prostituta come as partes necessárias para pagar seus estudos mercados repletos de bananas ananás incenso coração de porco fome papaias pés descalços disenteria amebiana se abriga no futuro da comunidade os turistas fotografam para conservar a miséria.

por acaso você já comeu desnutrição enlatada? se quiser *pode encontrá-la em Dos livros-memória do subdesenvolvimento.*

Dos livros-memória do subdesenvolvimento ••
From the Memory Books of Underdevelopment, 1983
[livro de artista •• artist's book]
oito bolsos de seda, serigrafia, aguada e fotolito ••
eight pockets, silkscreen, dyes and kodalith
bolso 03 [detalhe] •• pocket 03 [detail]
64,7 x 81,2 cm

From the Memory Books of Underdevelopment, 1983

one day a screaming chicken on her flight to power met a rooster inside a blue pot yellow spots of painful anger were roaming around hamburger towns while ghost lives of imprisoned women by their menstruation myths found daughters of mothers impregnated by their fathers there were incestuous meals of cassava flour radiation oil of wintergreen there were buckets of water carried by minors without hope family roots cut by winged dreams into a mythological reality of boredom that could be broken only by those who do not fear the evil plants that nourish themselves with human solitude.

how many unanswered questions build grounds for madness? where are the earth of their beginnings if the ants need it for making their procreation nests? where are the sounds of their whining when forbidden to drink the dried milk of their adolescence?

their questions are found in the illusion of colors that colors their biographical attempt and the guilt of excluding their own blood when stewing capons for Easter Sunday makes them cry in my ears and laugh with their eyes dinner time a truck driver crosses the highway drunk by his maleness while the prostitute eats the necessary parts to put herself through school the markets are full of pineapples bananas incense pig's ears hunger papayas and bare feet amoebic dysentery thrives on future dreams while tourists click their cameras to preserve poverty.

have you ever eaten canned malnutrition? if you wish to you can find it in *From the Memory Books of Underdevelopment.*

O estupro de uma cultura ••
Rape of a Culture, 1984
serigrafia, nanquim e
creiom sobre papel ••
silkscreen, Indian ink
and crayon on paper
224 x 76,2 cm

Crateras de sangue •• *Craters of Blood*, 1984
serigrafia, aguada e creiom sobre seis painéis de seda ••
silkscreen, dyes and crayon on six silk panels
diversos formatos •• varied sizes

A ARTE EMPÁTICA DE JOSELY CARVALHO

Ana Mae Barbosa

Sem nome 02 •• *Nameless 02*, 1993
fotografia •• photography
80 x 64 cm

CONHECIA OS LIVROS DE ARTISTA DE JOSELY Carvalho, quando começamos a conversar sobre a vinda para o Museu de Arte Contemporânea de São Paulo da exposição *Connections Project/ Conexus*, que ela organizara com Sabra Moore em Nova York. Embora bem-sucedida no exterior, essa exposição de artistas mulheres brasileiras e norte-americanas dialogando sobre temas existenciais universais teve muito pouca aceitação no Brasil, desde o insucesso em conseguir patrocinadores até a pouca divulgação concedida pela imprensa. Quase ninguém, portanto, parece se ter dado conta de que obras de artistas importantes, como Catalina Parra, Ida Appleboog, Faith Ringgold, Liliana Porter, May Stevens e Nancy Spero, estiveram no Brasil em 1987.

Isso se deveu principalmente a um preconceito existente nas artes plásticas de nosso país a respeito de eventos que celebrem a diferença. Muitas artistas brasileiras, principalmente as mais bem-sucedidas, recusaram-se a participar da exposição com receio de serem vistas como "artistas mulheres", após terem obtido mercado, reconhecimento e poder no mundo regulado pelos homens. Elas conseguiram a igualdade

147

THE EMPATHIC ART
OF JOSELY CARVALHO

Ana Mae Barbosa

Sem nome 01 •• *Nameless 01*, 1993
fotografia •• photography
80 x 64 cm

I WAS ALREADY ACQUAINTED WITH JOSELY
Carvalho's artist's books when we began to discuss
bringing to Brazil the *Connections Project/Conexus*
exhibition she had organized with Sabra Moore in
New York. Despite its great New York success, that
exhibition of Brazilian and North American women
artists engaged in dialogue about universal existential
themes did not find easy acceptance in Brazil, from
our failure to find sponsors to the limited press
coverage. Consequently, no one in Brazil appears to
have been aware that the work of such important
artists as Catalina Parra, Ida Appleboog, Faith
Ringgold, Liliana Porter, May Stevens and Nancy
Spero had been shown here in 1987.

The main reason for this is the prejudice
that exists in our country towards any event that
celebrates difference. Many Brazilian women artists –
successful ones especially – refused to participate
in the exhibition because they did not want to be
regarded as "women artists", having found a market
for themselves, as well as recognition and power, in
a world controlled by men. They achieved equality
without ever having thought about sexual politics
or feminine identity and certainly cared little about
whether or not they would go down in art history.

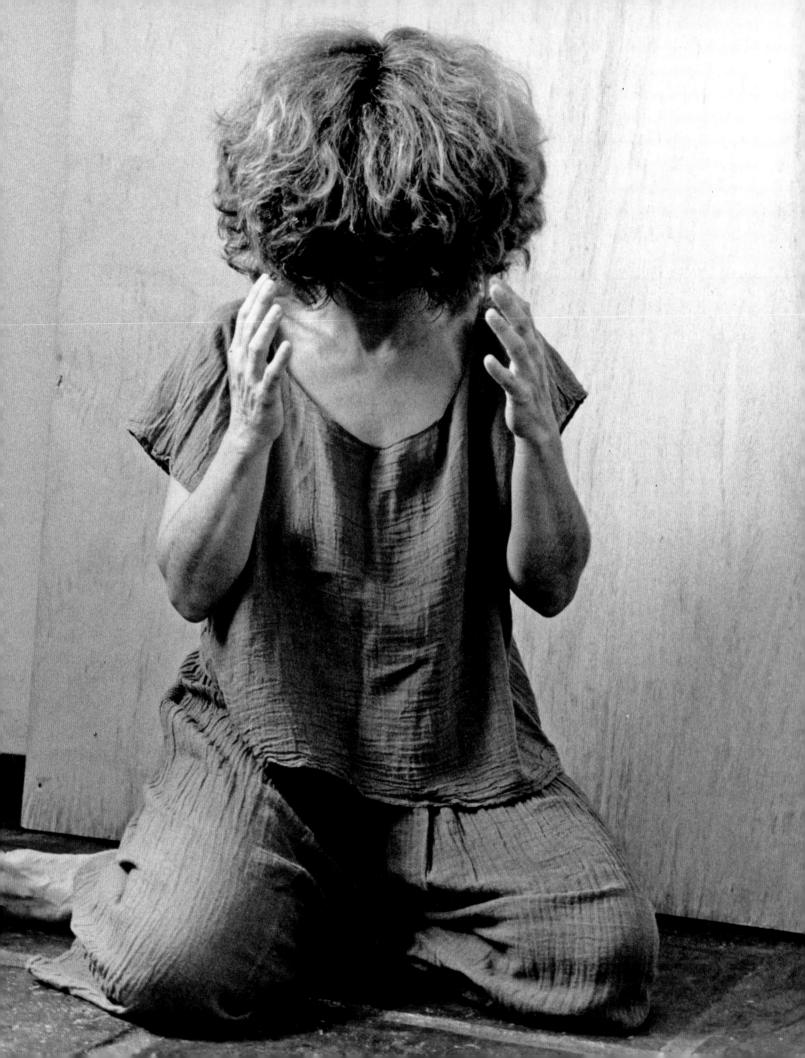

In her diary, Eva Hesse (another successful artist) quotes Simone de Beauvoir: "What woman essentially lacks today for doing great things is forgetfulness of herself, but to forget oneself, one must first be assured that now and for all the future, one has found oneself".[1] The Simone de Beauvoir quotation that so impressed Eva Hesse is from *The second sex* and was written about Marie Bashkirtseff, a Russian artist who, despite her twentieth century success in Paris, did not go down in the history of art written by men. Bashkirtseff had an intuition that she would be erased in the future, and her diary, like Hesse's, in spite of the years of "progress" that separate them, is a valuable document of the identity conflicts of a woman artist.

The perpetuation of male production as opposed to the forgetting of female production is a constant. Yolanda Mohalyi, Sheila Brannigan and Maria Martins are not often remembered; Tarsila do Amaral and Anita Malfalti would also remain forgotten if two women (Aracy Amaral and Marta Rossetti) had not produced in-depth studies of them and their work.

Talk of sexual politics is considered piffle in Brazil, and identity problems are understood in terms of their content. According to Julia Kristeva, the search for identity is identification *in abjection*. In the search for identity thus conceived, the ego as subject and the ego as object struggle to disassociate, to stand apart, allowing individuals to see themselves as they might be seen by the "other", and be as the "other" does not want itself to be seen.

Being in the world is a political situation and politics are no subject for the visual arts in Brazil. It is significant, for instance, that rejection of multiculturalism in our country, an organizing principle of Josely's exhibition, recognized through the concept of orientalism, proposed by Edward Said, who is attempting to save the "other" from the stigma of culpability *a priori*.

Multiculturalism in Brazil is completely obscured by the desperate search for submission to the European code in order to be successful abroad, which many have managed. Any reference to politics is considered pamphleteering and in its radicalism, even Carl Andre, after his felicitous statement that "life is the link between art and politics", would be accused of pamphleteering.

Political work by international artists is not disseminated in Brazil. Everyone knows Jonathan Borofsky but, despite the millions of street children in Brazilian cities and the atrocities of São Paulo's Carandiru, no one wants to hear about the magnificent work he did at MoMA in 1992 about the image of the homeless, nor even of his film *Prisoners*, made with inmates from three California prisons, of which he said: "I use my art as a tool to work out what's going on in my life. I'm working with an inner politics here, and what's going on in these prisons has to be worked out in my life too. What can I learn from these people? What does it mean to be free? Why do people end up in prisons?"[2]

Likewise, it is from her empathy for the world around her that Josely Carvalho constructs works pregnant with metaphors and metonymies. Images from the Gulf War allude to images of other wars and other deaths in the East and in the West, in the First World and in the Third, in Recife and in São Paulo, presented to us as televised spectacle and cooled by a diffuse, uniform light. Suzy Gablik warns us that: "Right now, our culture

sem jamais pensar sobre a política dos sexos, a identidade feminina e, sobretudo, as numerosas artistas mulheres riscadas da história da arte.

Em seu diário, Eva Hesse, outra artista bem-sucedida, cita Simone de Beauvoir: "O que falta hoje à mulher para realizar grandes coisas é esquecer-se de si mesma. Para esquecer de si, todavia, é necessário, antes de tudo, a convicção de que, nesse momento e para sempre, ela se encontre".[1] Essa frase de Simone de Beauvoir que tanto impressionou Eva Hesse está em *O segundo sexo*, e se refere à artista russa Maria Bashkirtseff, cuja carreira, apesar do sucesso em Paris no século XIX, não entrou para a história da arte escrita pelos homens. Bashkirtseff intuía que sua obra seria apagada no futuro, e seu diário, como o de Hesse, apesar dos anos de "progresso" que os separam, é um precioso documento acerca dos conflitos de identidade vividos como mulher e artista.

A perenidade da produção masculina *versus* o esquecimento da produção feminina é uma constante. Yolanda Mohalyi, Sheila Brannigan e Maria Martins são muito pouco lembradas; Tarsila do Amaral e Anita Malfatti também o seriam, se duas outras mulheres, Aracy Amaral e Marta Rossetti, não tivessem feito estudos sérios e profundos sobre elas.

No Brasil, falar de política dos sexos é baboseira, e os problemas de identidade são abordados apenas em seu conteúdo. Como diz Julia Kristeva, a busca de identidade é identificação *in abjection*. Na busca da identidade assim concebida, o eu sujeito e o eu objeto lutam por se dissociar, por se afastar, levando o indivíduo a se ver como o "outro" o vê, e a ser como o "outro" não quer ser visto.

Estar no mundo, todavia, é uma situação política, e a política não pode ser tratada pelas artes plásticas no Brasil. É evidente, por exemplo, a rejeição à política da multiculturalidade, um dos eixos organizadores da instalação de Josely Carvalho, reconhecido por intermédio do conceito de orientalismo, de Edward Said, que tem procurado salvar o "outro" do estigma da culpabilidade a priori.

A multiculturalidade no Brasil é inteiramente obscurecida pela desesperada submissão ao código europeu para a obtenção de sucesso no exterior, algo que muitos têm conseguido. Qualquer referência política é tida como panfletária, e o radicalismo é tamanho, que mesmo Carl André, após sua feliz afirmação de que "a vida é o elo entre arte e política", seria considerado panfletista.

Trabalhos políticos de artistas internacionais não são divulgados no Brasil. Todos conhecem Jonathan Borofsky e, apesar dos milhares de crianças de rua nas cidades brasileiras e das barbaridades ocorridas no Carandiru, em São Paulo, ninguém quer ouvir falar de seu magnífico trabalho sobre os sem-teto, exposto nas paredes do MOMA no início de 1992, nem de seu filme *Prisoners*, realizado com detentos de três prisões da Califórnia, sobre o qual afirmou: "Uso minha arte como instrumento para investigar o que acontece em minha vida. Aqui, estou trabalhando com uma política interior, e o que acontece nessas prisões também tem de ser explicado e inserido na minha vida. O que posso aprender com essas pessoas? O que quer dizer ser livre? Por que as pessoas acabam em prisões?".[2]

É também da empatia com o mundo que a rodeia que Josely Carvalho constrói suas obras, grávidas de metáforas e metonímias. As imagens da guerra do Golfo fazem alusão a imagens de outras guerras e de outras mortes, tanto no Oriente quanto no Ocidente, no Primeiro e no

Terceiro Mundos, no Recife e em São Paulo, sendo apresentadas a nós como espetáculos televisivos resfriados pela luz difusa e uniforme. Como Suzy Gablik alerta, "neste momento, nossa cultura ainda promove apenas uma concepção limitada do papel social e da função política da arte. E continuará assim, enquanto concebermos a cultura exclusivamente como uma arena de indivíduos em busca de seus próprios objetivos profissionais".[3]

A força política da arte é menosprezada, embora em menor escala, também nos Estados Unidos, onde Josely Carvalho vive há 15 anos e é mais conhecida que em seu país natal. Nos últimos três anos, contudo, o poder político dos artistas se evidenciou sobretudo em *The Decade Show*, mostra organizada por três museus em Nova York: The Studio Museum in Harlem, The New Museum of Contemporary Art e o Museum of Hispanic Art, atualmente fechado.

Ao exibir obras de alta qualidade de muitos artistas negros, mulheres e latino-americanos à margem de museus e galerias nos anos 1980 ao lado de outras de igual qualidade de artistas bem-sucedidos institucionalmente, essa exposição foi um alerta feito aos espaços culturais preconceituosos que cultuavam apenas o código "europeu": "muito branco, muito macho, muito convencional".[4] *The Decade Show*, da qual Josely Carvalho participou, operou mudanças bem visíveis na política cultural de instituições hegemônicas, tornando-as mais abertas à multiculturalidade e à politização do objeto estético.

Entre outros exemplos, foi somente após esse alerta dado pela *The Decade Show* que Waldo Rasmussen conseguiu organizar sua tão sonhada exposição de arte da América Latina, planejada durante quase dez anos. Mais estonteante ainda foi a vocação profética da exposição política *Helter Skelter: LA Art in the 1990's*, que, tendo revelado o lado violento e opressivo da vida contemporânea, terminou dois dias antes dos tumultos raciais ocorridos em Los Angeles. Alguns artistas estão vendo politicamente o que os políticos não veem...

As instalações de Josely Carvalho revelam imagens que são fragmentos poéticos e participantes, e que me recordam as palavras do poeta Aimé Cesaire: "Cuidado com meu corpo e minha alma/ Cuidado, antes de tudo, ao cruzar seus braços/ E assumir a atitude estéril de um espectador/ Pois a vida não é um espetáculo".

Sua última instalação feita no Brasil, no Museu de Arte de São Paulo (Masp) em fevereiro de 1993, foi recebida com frieza e chegou a "merecer" um artigo negativamente crítico, mas vi mulheres emudecidas de emoção e atônitas com os questionamentos gerados pela obra acerca da condição feminina no Terceiro Mundo. Há, no Brasil, carência de críticos capazes de ver politicamente. Infelizmente, Josely não encontrou, em 1993, alguém capaz de defender sua produção como Oswald de Andrade o fez em relação à de Anita Malfatti em 1917. Ambas têm algo em comum: o desvendamento da materialidade e da ambiguidade do corpo.

Notas

1   In: Rozsika Parker & Griselda Pollock. *Old Mistresses*. London: Routledge & Kegan Paul, 1981, p. 75.

2   Citado em Suzi Gablik. *The Reenchantment of Art*. New York: Thames & Hudson, 1991, p. 112.

3   Ibid., p. 113.

4   Marcia Tucker no catálogo de *The Decade Show*, 1990, p. 9.

still promotes only a disenfranchised conception of the social role and political function of art: and it will continue to do so as long as we conceive of culture itself simply as an arena of individuals to achieve their own professional ends".[3]

On a lesser scale, the political strength of art is equally scorned in the United States, where Josely Carvalho has lived for fifteen years and where she is better known than in her native Brazil. In the last three years, however, the political power of artists has been increasingly recognized, particularly in New York's *The Decade Show*, organized by three museums (the New Museum for Contemporary Art, the Studio Museum of Harlem, and the Museum of Contemporary Hispanic Art, which is currently closed).

Showing the high quality of many black, women and Latin American artists whose presence in museums and galleries was marginal throughout the 1980s, as well as work by other artists of equal quality who had been institutionally successful, the exhibition issued a warning to those prejudiced cultural spaces that worshipped only the "European" code: "very white, very male, very mainstream".[4] *The Decade Show*, in which Josely Carvalho participated, worked some very visible changes in the cultural politics of hegemonic institutions, making them more flexible towards multiculturalism and the politicizing of the aesthetic object.

It was until after the warning issued by the *Decade Show* that Waldo Rasmussen managed to organize his long-dreamt-of (nearly ten years in the planning) exhibition of Latin American art. More astonishing still was the prophetic vocation of *Helter Skelter: L. A. Art in the 1990's*, a political exhibition that revealed the violent, oppressive, dispossessed side of contemporary life and, coincidentally, closed two days before the Los Angeles race riots. Some artists are seeing politically what politicians do not see…

Josely Carvalho's installations reveal images that are poetic, participant fragments and that remind me of words by the politician and poet Aimé Césaire: "Beware my body and my soul/ Beware above all of crossing your arms/ And assuming the sterile attitude of the spectator/ Because life is not a spectacle".

Her last Brazilian installation (at Masp, in February, 1993), was coldly received and drew negative critical response, yet I saw women who visited it grow mute with emotion, perplexed by the condition of women in the Third World. Brazil needs critics who can see politically. Unfortunately, in 1993, Josely was unable to find anyone who would stand up for her work the way Oswald de Andrade stood up for Anita Malfatti's work in 1917. Both artists have something in common: the disclosure of the materiality and ambiguity of the body.

Notes

1   In: Rozsika Parker & Griselda Pollock. *Old Mistresses*. London: Routledge & Kegan Paul, 1981, p. 75.

2   As quoted in Suzi Gablik. *The Reenchantment of Art*. New York: Thames & Hudson, 1991, p. 112.

3   Ibid., p. 113.

4   Marcia Tucker, *The Decade Show* (catalogue), 1990, p. 9.

Testamento •• *Testimony*, 1993
serigrafia sobre papel artesanal ••
silkscreen on handmade paper
76,2 x 1050 cm

PÁGINA •• PAGE 152

Tempos de Luto: Dia Mater II ••
It's still Time to Mourn: Dia Mater II, 1993
[instalação •• installation]
serigrafia e xerox sobre papel, som, tapetes de
oração, rede de camuflagem militar usada em
guerras, caixão de luz, impressão serigráfica
sobre acrílico e papel, areia e pedras •• silkscreen
and xerox on paper, sound, prayer rugs, military
camouflage netting used in the war, light box-coffin,
silkscreen on acrylic on paper, sand and stones
Museu de Arte de São Paulo – Masp

À ESQUERDA •• LEFT

Sem título •• Untitled, 1993
serigrafia sobre papel artesanal ••
silkscreen on handmade paper
106,6 x 57,1 cm

Sem título •• Untitled, 1993
serigrafia sobre papel artesanal ••
silkscreen on handmade paper
65,4 x 96,5 cm

Tempos de Luto: tenda cerimonial ••
It's still Time to Mourn: A Cerimonial Tent, 1991
[instalação •• installation]
serigrafia sobre papel e acrílico, urna funerária
de luz, som, rede militar de camuflagem usada
em guerras, madeira e areia •• silkscreen on
paper and acrylic, light box-coffin, sound, military
camouflage netting used in war, wood and sand
Museum del Barrio, New York

À DIREITA •• RIGHT

Tempos de Luto: Dia Mater II ••
It's still Time to Mourn: Dia Mater II, 1993
[instalação •• installation]
serigrafia e xerox sobre papel, som, tapetes de
oração, rede de camuflagem militar usada em
guerras, caixão de luz, impressão serigráfica
sobre acrílico e papel, areia e pedras ••
silkscreen and xerox on paper, sound, prayer
rugs, military camouflage netting used in the war,
light box-coffin, silkscreen on acrylic on paper,
sand and stones
Museu de Arte de São Paulo – Masp

Enuma Elish
[The Epic of Creation, fragment]

When the skies above were not yet named
Nor earth below pronounced by name [...]

Face to face they came, Tiamat and Marduk,
                                  [sage of the gods.
They were engaged in combat, they closed for battle.
The Lord spread his net
and made is encircle her,
To her face he dispatched the imhullu
Wind so that she could not close her lips.
Fierce winds distended her belly;
Split her down the middle and split her heart,
Vanquished her and extingueshed her life.
He threw down her corpse and stood on top
                                  [of her [...]

The Lord trampled the lower part of Tiamat,
with his unsparing mace smashed her skull,
severed the arteries of her blood.

Enuma Elish
[Poema da Criação, fragmento]

Quando o alto céu não tinha ainda nome
embaixo a terra também não tinha nome [...]

Cara a cara eles se defrontam Tiamat e Marduk,
                                  [sábios deuses
guerream entre si
Ele, atira a rede e a enrosca
Sopra dentro dela explodindo o forte vento imhullu
Que a impede de fechar os lábios
Terríveis ventos abrem sua boca insuflando suas
                                  [entranhas.
Lança ele sua mortífera flecha atravessando
                                  [o corpo de Tiamat
divididndo-a ao meio dilacerando seu coração.
Após tê-la dominado brutalmente
Marduk estingue-lhe a vida joga seu cadáver longe
finca os pés sobre os seus membros [...]

Marduk calca o ventre de Tiamat
com a pesada clava ainda estraçalha seu craneo
cortando-lhe as artérias de seu sangue.

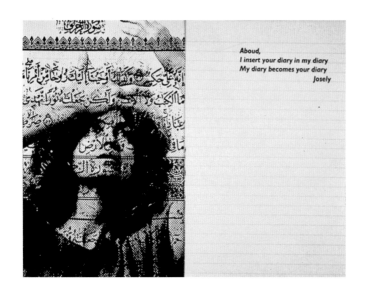

Aboud,
I insert your diary in my diary
My diary becomes your diary
Josely

In the desert of loneliness
I cry sunset tears
while he broadcasts the surgical operation
laser scuds tattooing images
in the guts of men women children
one thousand and one horror nights
in the name of *Pax Americana*

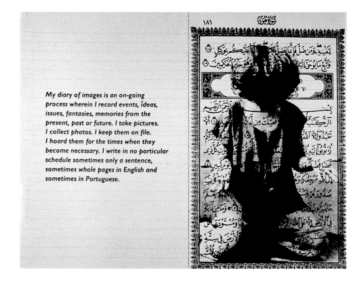

My diary of images is an on-going
process wherein I record events, ideas,
issues, memories from the
present, past or future. I take pictures.
I collect photos. I keep them on file.
I hoard them for the times when they
become necessary. I write in no particular
schedule sometimes only a sentence,
sometimes whole pages in English and
sometimes in Portuguese.

Tempos de luto •• *It's Still Time to Mourn*, 1992
[livro de artista •• artist's book]
64 páginas em ofsete •• 64 pages in offset
18,4 x 11,8 cm
Edição •• Edition 750 exemplares •• copies
Impresso em •• Printed at Visual Studies
Workshop Press Rochester, New York
Apoio •• Funded by New York State Council
for the Arts.

"Baghdad, the city of my famil
why are you sad?"
"Your morning became dark, an
your wailing increased nightly.
"No moon. No stars to light
your skies. And the birds of o
who used to bring beauty, a
"

Caixão •• *Coffin*, 1993
serigrafia sobre papel e acrílico, caixão de luz,
tamanho adulto •• silkscreen on paper and
acrylic, light box coffin, adult size

Tempos de Luto: Dia Mater I ••
It's Still Time to Mourn: Dia Mater I, 1993
[instalação •• installation]
serigrafia sobre papel, acrílico e madeira, cinco
janelas de luz em formato de mirabe, tapetes de
oração e som •• silkscreen on wood, paper and
lucite, five light box mihrab window, prayer rugs
and sound
Art in General, New York

Mostar, 1993
serigrafia sobre madeira, papel e acrílico, e janela
de luz em formato de mirabe •• silkscreen on
wood, paper and lucite, light box mihrab window
143,5 x 76,2 x 24,8 cm
[perdido em um incêndio •• lost in a fire]

Baghdad, 1993
serigrafia sobre madeira, papel e acrílico, e janela
de luz em formato de mirabe •• silkscreen on
wood, paper and lucite, light box mihrab window
143,5 x 76,2 x 24,8 cm
[perdido em um incêndio •• lost in a fire]

Hatra, 1993
serigrafia sobre madeira, papel e acrílico, e janela
de luz em formato de mirabe •• silkscreen on
wood, paper and lucite, light box mihrab window
143,5 x 76,2 x 24,8 cm

Tiamat, 1993
serigrafia sobre madeira, papel e acrílico, e janela
de luz em formato de mirabe •• silkscreen on
wood, paper and lucite, light box mihrab window
143,5 x 76,2 x 24,8 cm
[perdido em um incêndio •• lost in a fire]

Basra, 1993
serigrafia sobre madeira, papel e acrílico, e janela
de luz em formato de mirabe •• silkscreen on
wood, paper and lucite, light box mihrab window
143,5 x 76,2 x 24,8 cm

Passagem •• *Passage*, 1994
madeira pintada •• painted wood
272 x 117 x 30,5 cm
[perdido em um incêndio •• lost in a fire]

Cirandas II (interior) •• *Cirandas II* (interior), 1994
[instalação •• installation]
serigrafia sobre parede, janela de ferro, luz, pia
batismal, água, projeção de video e slides, fita
cassete, xerox sobre papel e balas perdidas ••
silkscreen on wall, iron window, light, baptismal
sink, water, video and slides projection, audio
tape, xerox on paper and strayed bullets
Museu de Arte Contemporânea da Universidade
de São Paulo, MAC USP

PÁGINAS •• PAGES 180–1

Cirandas III •• *Cirandas III*, 1994
[instalação •• installation]
livro de artista, serigrafia sobre parede, vídeo e
fita cassete •• artist's book, silkscreen on wall,
video and audio tape
Instituto de Arte, Universidade Federal de Brasília

Cirandas, 1993

Nova York, Sexta-feira, 23 de Julho de 1993.
Na noite
Crianças
Crianças sem infância
Crianças esquecidas
Sobreviventes
Catadores das sobras do Mcdonald
Sonâmbulos no medo da noite
Frente a Igreja da Candelária
Na fome consomem estórias infernais
Massacre

Aonde morrem os pássaros quando a morte grita
[por eles?

Inocência foi assassinada
Para cada prato de sopa, uma tigela de sangue

Carne para a mídia internacional
Hoje a matéria é impressa na agonia infantil
Amanhã defeca o que já não é mais noticia

Uivos perambulam pela cidade maldita
Enquanto os preguiçosos sinos da catedral
Declamam a hora da imolação

Onde os pássaros esquecem seus corpos cansados?

Choro pelo amanhecer que não se levantou
Quando oito meninos
Não puderam encontrar o entardecer de suas fantasias

Como os pássaros voam quando a morte grita por eles?
Eles voam com suas gargantas cortadas para silenciar
[sua canção.

Cirandas, 1993

New York, Friday, July 23, 1993
At night,
Children
Childhoodless kids
Forgotten children
Survivors
Scavengers of McDonald's garbage
Underdogs of fearful nights
Ingesting hellstories
Facing the Candelaria Church
Massacre

Where do the birds die when death screeches at
[them?

Innocence has been
For each cup of soup, a bowl of blood.

Meat for international media
Today prints the agony
Tomorrow defecates the news of yesterday.

Howlings meander around damned city
While the lazy cathedral bells
Proclaim the hour of immolation.

Where do the birds forget their exhausted bodies?

I cry for the sunrise that didn't rise
When eight boys
Never encountered the afternoon of their dreams.

How do the birds fly when death screams at them?
They fly with their throats slit in order to silence
[their song.

A ARMÊNIA EM SÃO PAULO

Paulo Herkenhoff

PÁGINAS •• PAGES 182–91
Memorial Armênia – Estação Armênia Norte e Sul do Metrô •• *Armenia Memorial – North and South Armenia Subway Station*, 1995–2005
[obra pública permanente •• permanent public artwork]
barro, água, paisagismo, pedras, granito e vidro jateado •• clay, water, landscape, rocks, granite and etched glass
São Paulo, Brasil

GIRANDO OS BOTÕES DA TEVÊ, O ESPECTADOR acredita poder escolher entre guerras em tempo real ou guerras em realidade virtual, forma contemporânea de esquecer a dor testemunhada em tempos indistintos. A obra de Josely Carvalho é uma resistência a toda obliteração de fatos pretéritos ou presentes nos subterrâneos da memória. Crianças em abandono nas ruas, mulheres em luto no Iraque e, agora, um povo, o armênio, marcado por um genocídio ocultado durante décadas. Se a obra de arte conhece seus limites em face da grandeza dessas questões, podemos pensar em Jacques Callot e as pequenas gravuras de *Les misères et les malheurs de la guerre* (1633), em que o buril se torna monumental e poderoso vestígio dos sofrimentos decorrentes do cerco à cidade de Nancy.

O real nessa obra de Josely Carvalho – signos e símbolos – está organizado como arquitetura. Toda possibilidade de contemplação está atrelada à reflexão sobre uma rede de significados. Isso seria o "ornamento" ainda possível, sem perder de vista a ascese ética da arquitetura proposta por Adolf Loos. Assim, a estação Armênia do metrô de São Paulo tem seu nome como índice de uma

ARMENIA IN SÃO PAULO

Paulo Herkenhoff

SWITCHING THE TV CONTROLS, THE SPECTATOR believes in having choices between wars in real time or wars in virtual reality. It is the contemporary style of forgetting the pain witnessed in obscure times. Josely Carvalho's work is a resistance to all obliteration of past and present facts in the underground of the memory. Abandoned street children, women in mourning in Iraq, and now the Armenians, who are marked by a genocide hidden for decades. If the work of art knows its limits in face of the immensity of these questions, we could think of Jacques Callot with his small engravings, *Les misères et les malheurs de la guerre* (1633), that his chisel turned the suffering of the siege of the city of Nancy into something monumental and powerful.

The truth in the work of Josely Carvalho, signs and symbols, is organized as architecture. All of the possibility of contemplation is here harnessed to a reflection on multiple meanings. That would still be the "ornament" possible, without losing sight of the ethical synthesis of the architecture proposed by Loos. Thus, the Station Armenia, in the network of the subway system of São Paulo and in the shape of a bridge, has its name more

comunidade étnica, indo além de uma simples parada de trem na malha urbana da cidade. Sua forma de ponte representa a mesma conexão entre dois pontos: passa à condição de metáfora da trajetória do migrante e da construção de possibilidades após uma diáspora. A arte pública não seria a arrogante intromissão do artista na comunidade, em cujo espaço social se insere o símbolo.

O projeto de Josely Carvalho revela seus fundamentos, a cada instante, em um programa ético, no qual o modelo para a artista seria ainda uma ideia de engenharia social crítica. Não mais o cálculo, porém a arquitetura dos significados que podem conferir coesão poética ao programa. Trata-se de um processo decisivo de riscos e escolhas de linguagem. A herança mítica, a tradição cultural, a diáspora, o genocídio, a dor e a produção de subjetividade, tudo isso cobra atualidade não do mito e dos símbolos arquetípicos, mas sim da própria arte. Se é verdade que não existe neutralidade política da arte, o projeto de Josely Carvalho se alinha na perspectiva de um Walter Benjamin com a história dos oprimidos. A artista propõe uma arquitetura de alteridade.

Para a estação Armênia, o barro se converte em pedra na cerâmica. A operação presente na cerâmica é índice da cultura material de um povo. É uma vontade de matéria primordial que passa a se constituir em suporte capaz de, por si mesmo, testemunhar a existência de uma cultura de quatro mil anos com seu próprio sentido ancestral: a Armênia. A cruz armênica insere a demarcação extraterritorial, afirmativa, de uma cultura. O migrante recompõe a força produtiva e uma dada formação étnica no espaço do deslocamento.

A própria mitologia da brasilidade pluralista deve, então, ser questionada em sua dimensão rígida e renegadora de determinadas composições étnicas excluídas do modelo tropicalista edênico. Daí a escrita em armênio e português estabelecer um índice de diferenciação no interior da totalidade. Na guerra dos signos, Josely Carvalho começa por não admitir o silêncio linguístico.

É sobre a opacidade do que pode ser transparência, o vidro, que a artista escreve a textualidade. Essa é a restauração da memória no território do esquecimento e da comunicação no espaço dos interditos. O suporte da escritura é frágil, porém potente na atribuição de sentido à materialidade do signo. A arquitetura de textos conjuga o Vaktan, a narrativa imemorial da criação ("Padeciam céu e terra das dores do parto"), e versos de Diana der Hovanessian, poeta norte-americana de origem armênia. Ao escolher esses textos, a artista deixa marcada a necessária convivência, como um arco, entre identidade social e produção de subjetividade, entre a ala coesiva de um grupo social disperso e a expressividade de sua voz poética. A lembrança da dor, do que teria sido o primeiro grande genocídio do século xx, não é apenas lembrança ressentida. Jardins da memória são espaços de reflexão. É necessário não esquecer, assim como a recordação não deve ser um aprisionamento no passado. O silêncio pertence não ao esquecimento, mas a um campo de possibilidades abertas na estação Armênia. Por isso, a arquitetura da obra de Josely Carvalho se faz de fluxos da energia regeneradora da vida, fogo, queda d'água, paisagem viva, pois, afinal, na mitologia armênia, a dor de partejar se vê com dois olhos como sóis.

as a mark of an ethnic community than merely a train stop within the urban mesh of a city. The bridge, the same connection between two points, becomes the metaphor of the migrant's course and the construction of the possibilities, starting with a Diaspora. Public art would not be the artist"s arrogant dialogue with the community within which the social space interferes with the construction of symbols.

Josely Carvalho's work reveals, in each instant, that it has its foundation in an ethical program. The model for the artist in the project is one of critical social engineering. However, it is no longer calculus but the architecture of meaning that gives poetic cohesion to her work. It is the decisive process of risks and choices. The mythical legacy, the cultural tradition, the Diaspora, the genocide, the pain and the construction of subjectivity – everything collects actuality, not of the myths and archetypal symbols, but art in itself. If political neutrality in art does not exist, Josely Carvalho's project joins in the perspective of a Walter Benjamin, with the history of the oppressed. The artist proposes an architecture of otherness.

For the Station Armenia, the clay transforms itself into stone in the ceramic. The clay is an index of the culture of a people. It is a primordial desire that constitutes itself in the clay, which is capable in itself of testifying to the existence of a culture with its own ancestral pride – Armenia. The Armenian cross (Khatchkar) inserts an extra-territorial demarcation, affirmative of a culture. The migrant remakes its productive force as well as recomposes his/her ethnicity in the place of the displacement. The pluralistic Brazilian mythology should then be questioned in its rigid dimensions as renegade of certain ethnic compositions and

excluded from Edenic tropicalist model. Then, the Armenian and Portuguese writing establish the differences within a totality. In the war of signs, Josely Carvalho begins by not admitting to the linguistic silence.

It is about the opacity, of that that can be transparency – the glass – that Josely Carvalho writes textually. It is the restoration of memory in a territory of forgetfulness and the communication in place of the excluded. The support of the writing is fragile, but it is potent in the attribution of meaning to the physicality of the sign. The architecture of texts conjugates Vaktan, the immemorial narrative of the creation (Heaven and earth have suffered the pain of childbirth) and the verse of an Armenian-American poet, Diana der Hovanessian. The remembrance of that which would have been the first genocide of the century is not just resentful memory. The Gardens of the Memory would be a space for reflection. It is necessary not to forget so much as it is necessary that the memory is not the imprisonment of the past. The silence is no longer forgetfulness, but a field of open possibilities in the Station Armenia. Because of this that the architecture of Josely Carvalho's work is constructed of the flow of regenerated energy of life, fire, waterfall, landscape, because, after all in the Armenian mythology, the pain of giving birth is with two eyes like two suns.

PADECIAM CÉU E TERRA DAS DORES DO PARTO.
DAS DORES DO PARTO PADECIA O PURPÚREO MAR.
O CANIÇO VERMELHO, NO MEIO DO OCEANO,
SOFRIA TAMBÉM A DOR DO PARTEJAR.
PELO TALO DO CANIÇO SAÍA FUMAÇA,
PELO TALO DO CANIÇO SUBIAM LABAREDAS,
ATÉ QUE DAS LABAREDAS BROTOU UM JOVEM:
TINHA CABELOS DE FOGO, TINHA BARBAS DE CHAMA,
TINHA DOIS OLHOS QUE ERAM SOIS.

(TEXTO ANONIMO ANTIGO)

DESENCANTANDO SALMU

Ivo Mesquita

PÁGINAS •• PAGES 192, 195, 198, 200–1
Desencantando Salmu •• *Disenchanting Salmu*, 2007
[instalação •• installation]
água, litografia, escultura em resina, quatro canais de som, impressão digital no chão e teto bloqueador de luz •• water, lithography, resin sculpture, four channel sound, digital printng on the floor and ceiling to block the light
Curador •• Curator Ivo Mesquita
Octógono, Pinacoteca de São Paulo

O TRABALHO DE JOSELY CARVALHO SE caracteriza pela exploração de temas e questões políticas e culturais contemporâneas, que decorrem dos processos sociais e econômicos da globalização: as migrações e o exílio, a perda dos lugares de origem e das identidades, o apagamento do passado e da memória. Formada como gravadora, seu trabalho utiliza meios diversos, como o desenho, a fotografia, o vídeo e a internet, e se apropria de documentos, testemunhos e imagens de segunda geração. Propõe construir um projeto de mobilização do público em torno de questões, cuja base são histórias, imagens e textos que habitam espaços marcados por perdas, ausências, destruições, e buscam um abrigo, um lugar para existir, na memória coletiva contemporânea.

Desencantando Salmu é uma instalação que toma para si imagens de peças da escrita cuneiforme,[1] produzidas na antiga Mesopotâmia, berço da civilização ocidental, atual Iraque, para falar das condições do povo e da cultura desse país em guerra e sujeito a todo tipo de aniquilamento, pilhagem e espoliação. É oferecida como uma espécie de abrigo para um momento de interioridade e reflexão. Articula-se a um conjunto

DISENCHANTING

SALMU

Ivo Mesquita

PÁGINAS •• PAGES 196-7

Salmu 12B, CDLI n. P002420, 2006
litografia na frente e relevo no verso sobre papel
artesanal Kozo •• lithography on front and relief
on reverse on Kozo handmade paper
93,9 x 60,9 cm

Salmu 13B, CDLI n. P003655, 2006
litografia na frente e relevo no verso sobre papel
artesanal Kozo •• lithography on front and relief
on reverse on Kozo handmade paper
78,7 x 55,8 cm

impressos na •• printed at Wildwood Press,
St. Louis, Missouri, EUA

JOSELY CARVALHO'S WORK FEATURES THE exploration of current political and cultural themes and issues, which stem from the social and economic processes from globalization: migrations and exile, the loss of birthplaces and identities, the erasing of the past and of memory. Trained as an engraver, her work uses various media, such as drawing, photography, video, and the internet, and appropriates itself of documents, testimonials, and second-generation images. She proposes to build up a mobilization project around various issues, the bases of which comprise stories, images, and texts lodged in spaces marked by losses, absences, destructions, and which search for a shelter, a place to be, in the contemporary collective memory.

Disenchanting Salmu is an installation which takes upon itself cuneiform[1] writing tablets, produced in ancient Mesopotamia, the birth of Western civilization, currently Iraq, to speak about the conditions of the people and of the culture of this nation at war, and subject to every type of annihilation, pillaging and looting. It is offered as a type of shelter for a moment of insight and reflection. A set of lithographs is articulated from images of cuneiform tablets found in archeological

de litografias com imagens de tabletes cuneiformes encontrados em sítios arqueológicos como Uruk (uma das cidades mais antigas do mundo) e que hoje estão no Museu do Iraque, em Bagdá, tendo sido identificados e arquivados pelo arqueólogo Robert Englund, da Universidade da Califórnia, em Los Angeles. São essas imagens que podem ser vistas sobre o piso do museu, como se fossem fragmentos de história, sobre os quais caminha o público, dentro de um espaço em que convivem passado e presente. A fonte central e o fluxo permanente de água são uma afirmação da vida em movimento e constante renovação. A obra propõe uma experiência sensível e intelectual sobre a destruição do sujeito e da cultura, o desaparecimento das identidades e tradições, e a intolerância e o arbítrio.

Desencantando Salmu é também parte da série *Livro das telhas*, um trabalho em progresso que, desde 1997, explora a noção de abrigo, a partir de referências e usos das telhas de barro na cultura popular em diversas partes do mundo, tomadas pela artista como metáfora e materialização da busca por um lugar de proteção e privacidade para qualquer possibilidade do existir. Associa-se à ideia de concha presente na tartaruga, que traz em sua capa as marcas de sua história, de seus enfrentamentos, a passagem de seu tempo. A telha, cobertura, serve como estratégia para a artista se manter ligada a questões como a vida dos sem-teto, os migrantes e deserdados pela natureza, a economia, as guerras e a expatriação. Seus sucessivos trabalhos se juntam como as páginas de um livro, um arquivo de histórias, lembranças individuais e coletivas, com diferentes níveis de narrativa e leitura. Os motivos temáticos – os índios Xetá, o massacre dos armênios, a invasão do Iraque, as crianças de rua – são tratados de modo a construir e dar a conhecer testemunhos da imensa humanidade revelada por sua obra.

Salmu 04B, CDLI n. P00448, 2006
litografia na frente e relevo no verso sobre papel artesanal Kozo •• lithography on front and relief on reverse on Kozo handmade paper
96,5 x 91,4 cm
impresso na •• printed at Wildwood Press, St. Louis, Missouri, EUA

Nota

1   Adjetivo de dois gêneros: 1) que apresenta formato de cunha; 2) traçado, inscrito, gravado em forma de cunha. Cf. *Dicionário Houaiss da Língua Portuguesa*, 2005.

sites such as Uruk (one of the world's oldest cities) and which are currently in the Iraqi Museum, in Baghdad, having been identified and archived by archeologist Robert Englund from the University of California in Los Angeles (Ucla). These are the images which can be seen upon the museum floor, as if they were fragments of history, on which walks the public, and within a space in which the past and the present coexist. The central fountain and permanent flow of water comprise a statement of life in movement and of constant renovation. The work proposes a sensitive and intellectual experience on the destruction of the subject and culture, the disappearance of identities and traditions, and intolerance and freedom of choice.

Disenchanting Salmu is also part of the *Book of Roofs*, a work in progress which, since 1997, explores the notion of shelter, as from the references and usage of clay rooftiles in popular culture in several parts of the world, taken by the artist as a metaphor and materialization of the search for a place for shelter and privacy for all possibilities of existence. The idea of the turtle's shell, which brings on itself the marks of its history and of its struggles, is associated with the passage of time. The rooftile, a cover, acts as strategy for the artist to keep herself linked to issues as the like of those deprived of a home, of migrants, and of those bereft by nature, by the economy, wars and expatriation. Her successive works come together like the pages of a book, a file of stories, individual and collective memories, with different levels of narrative and reading. The themes – the Xetá Indians, the massacre of the Armenians, the invasion of Iraq, the street children – are painstakingly dealt with so as to create and testify to the immense humanity revealed by her work.

Mesomapas •• *Mesomaps*, 2006
litografia na frente e relevo no verso sobre papel artesanal Kozo •• lithography on front and relief on reverse on Kozo handmade paper
121,9 x 121,9 cm

À DIREITA •• RIGHT

Uruk, 2006 e •• and *Isin*, 2006
litografia sobre papel artesanal Kozo ••
litograhy on Kozo handmade paper
121,9 x 182,8 cm
Edição •• Edition 1/6
impressos na •• printed at Wildwood Press,
St. Louis, Missouri, EUA

Note

1   Adjective with two genders in the Portuguese language: 1) that which displays a wedge format; 2) traced, inscribed in a wedge shape. Cf. *Dicionário Houaiss da Língua Portuguesa*, 2005.

Mesomapas •• *Mesomaps*, 2006
litografia na frente e relevo no verso sobre papel
artesanal Kozo •• lithography on front and relief on
reverse on Kozo handmade paper
121,9 x 121,9 cm
impresso na •• printed at Wildwood Press,
St. Louis, Missouri, EUA

Mesomapas •• *Mesomaps*, 2006
litografia na frente e relevo no verso sobre papel
artesanal Kozo •• lithography on front and relief on
reverse on Kozo handmade paper
121,9 x 121,9 cm
impresso na •• printed at Wildwood Press,
St. Louis, Missouri, EUA

Abrigos em Expansão

A FORÇA DE
UM ABRIGO

Arlindo Machado

PÁGINAS •• PAGES 210, 213

Codex: dos sem-teto •• *Roofless Codex*, 1997
[instalação •• installation]
Três mil telhas de barro e projeção de vídeo ••
Three thousand clay roof tiles and video projection
Paço das Artes, São Paulo, Brasil

JOSELY CARVALHO TEM SE FIRMADO COMO uma das mais importantes artistas entre as que têm usado a Internet como um novo meio de expressão. Nos últimos anos, tem dirigido sua energia para um projeto mais ambicioso, que é dar, por meio de montagens parciais, forma, corpo e amplitude à obra *Livro das telhas*, de que a instalação *Tracajá* é uma de suas versões.

Livro das telhas é um *work in progress* bastante amplo, que explora o conceito de *abrigo* em todas as suas consequências e contradições. A telha de barro é tanto metáfora quanto materialização da ideia de proteção contra os rigores da natureza e a hostilidade dos inimigos, assim como das ideias de refúgio e privacidade, como acontece com a concha do caracol ou, em *Tracajá*, o casco da tartaruga. Neste trabalho, todavia, a telha também funciona como uma matriz geradora de sentidos, com base na qual se constrói uma teia de temas correlatos: a situação de quem não tem teto para se proteger, as crianças abandonadas nas ruas das grandes cidades, aqueles que precisam deixar suas casas para viver em outros países em busca de oportunidades, nações invadidas cujo povo é despejado das casas,

THE STRENGHT OF A SHELTER

Arlindo Machado

JOSELY CARVALHO HAS CLEARLY DISTINGUISHED herself as one of the most impressive artists working with the Internet as a new medium. In the last few years, in particular, the artist is undertaking a major effort in giving shape, body, and amplitude, through partial montages, to her most ambitious project, *Book of Roofs*, of which the print/video/sound installation *Tracajá* is its first page.

Book of Roofs is a very comprehensive work in progress that explores the concept of shelter in all its consequences and contradictions. In this work, the clay roof tile is at the same time a metaphor and materialization of this idea: it protects us from the rigors of nature and the hostility of foes, and offers a refuge for our inner core, like the snail's shell or, in this specific case, the tracajá turtle's carapace. But it also functions, in the work, as matrix and generator of meanings, from which a web is built from correlated themes: the situation of those that don't have a roof to shelter themselves; the abandoned children in the streets of large cities; those that leave their homes to migrate to other countries looking for new opportunities; nations that lose their dwellings

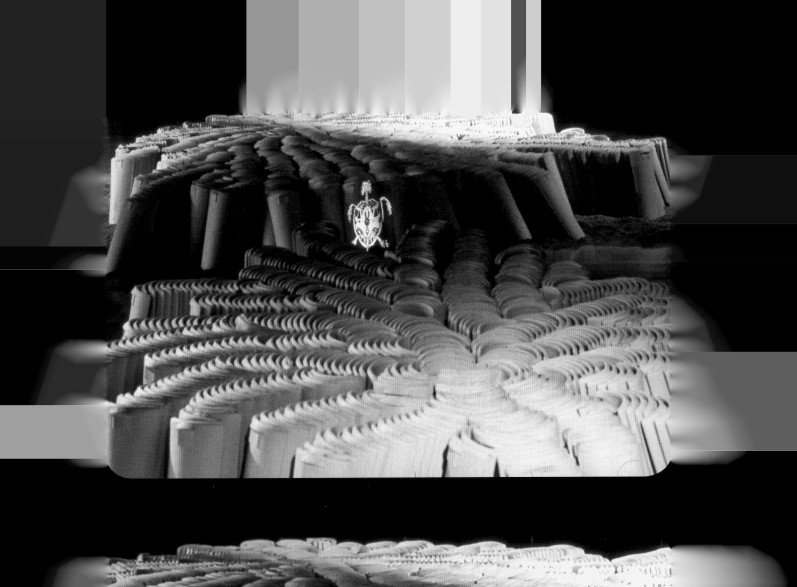
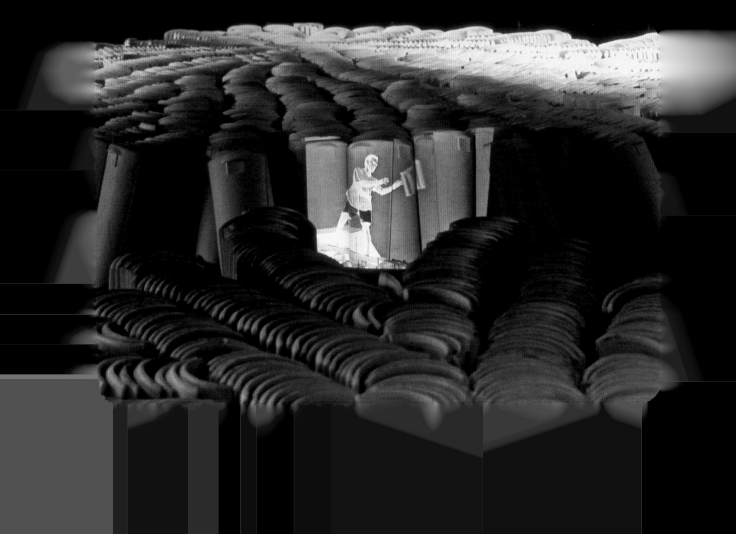

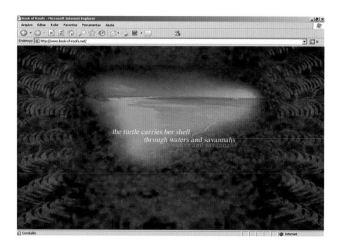
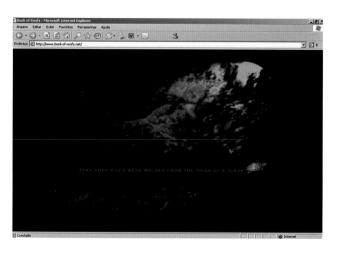
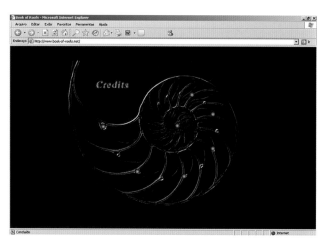
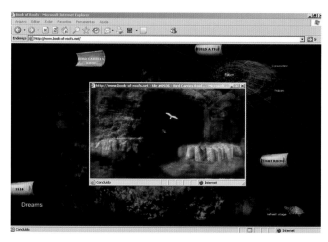

Livro das Telhas •• *Book of Roofs*, 2000
[webwork: www.bookofroofs.com]
Conceito, design e imagens •• Concept, design
and images Josely Carvalho

Programação •• Program development
Elizabeth McAlpin
Participantes da versão inicial •• Initial stage
participants Noelle Oki & Athena Xenakis

gerações inteiras extintas devido a guerras ou catástrofes naturais.

O conceito, originalmente materializado sob a forma de instalações, combinando esculturas construídas com pilhas de telhas e videoprojeções sobre elas, tem se ampliado recentemente para um novo espaço de interações, ao misturar tecnologias antigas com outras mais novas e migrar para o espaço virtual da Internet. Como os livros mágicos de Próspero (em *A tempestade*, de Shakespeare), *Livro das telhas*, de Josely Carvalho, agora em formato ao mesmo tempo artesanal, eletrônico e *ciberespacial*, constrói-se de tal maneira que cada uma das telhas funciona como uma página. Em cada página, inscreve-se um pensamento, uma imagem, um som ou uma combinação deles, como se o livro fosse a construção da memória individual da artista e ainda, na colaboração com outros usuários da Internet, a construção de uma memória coletiva sobre a perda e a busca de refúgio. É uma obra de grande maturidade intelectual, responsabilidade social e inegável senso de humanidade, em que se evidencia um inabalável desejo de produzir arte.

Livro das telhas, tanto em suas apresentações anteriores quanto na versão mais recente da instalação *Tracajá*, apresenta o problema de uma enorme massa de pessoas que não têm teto para se abrigar, e isso nos sentidos denotado e metafórico do termo. Trata-se, portanto, de uma abordagem sensível do tema que encara o problema de todos os seus possíveis ângulos de consideração. Esta, aliás, é a razão por que a instalação pode ser vista como uma obra em progresso: ela requer o *feedback* de outras pessoas, sejam estas artistas, visitantes da instalação ou usuários da Internet de qualquer parte do mundo. E é também a razão

por que *Tracajá* precisa ser proposta como uma instalação simultânea a um *site* na Internet, uma vez que é na confluência desses espaços que o diálogo pode acontecer.

Josely Carvalho faz parte de uma geração recente de artistas que usam a Internet como uma nova linguagem para a comunicação bidirecional e o desenvolvimento de trabalhos colaborativos. As possibilidades de diálogo interativo abertas pela web têm sido apropriadas por esses artistas para criar um novo meio de expressão: a *net art*. A facilidade com que a arte de Josely Carvalho pode migrar para a Internet decorre do fato de que já tem as características da *net*, pois se baseia na idéia de um coletivo de textos, imagens e sons, ou seja, uma espécie de banco de dados multimídia. Na condição de estrutura aberta e trabalho em progresso, *Livro das telhas* é um processo inerente à própria Internet e, por essa razão, pode migrar facilmente *do* e *para* o ciberespaço.

Como propôs o filósofo francês Jacques Derrida, há dois aspectos principais a considerar em uma obra de arte: forma e força. Em muitos trabalhos artísticos, a forma predomina; as obras de Josely Carvalho têm *força*. Nelas, os motivos temáticos aparecem não apenas com uma forma estética adequada e eloqüente, mas também com tal capacidade de tocar e impressionar que os tornam perturbadores. Suas obras têm personalidade forte e capacidade de mobilizar o público. Assim, não são obras de arte em um sentido meramente contemplativo. Exigem posicionamento. São justamente as obras capazes de apresentar sua mensagem com força e eficiência suficientes, para torná-la significativa a toda a humanidade, que têm conseguido se distinguir na gigantesca produção contemporânea de arte.

because of foreign invasion; entire generations that are extinct because of war or catastrophes, etc.

The concept, originally materialized in the shape of installations, combining sculptures built by stacks of clay roof tiles and video projections upon them, now becomes a new space of interactions that brings together old and new technologies and migrates to the virtual space of the Internet. Like Prospero's magic books in Shakespeare's *The Tempest*, Josely Carvalho's *Book of Roofs*, with its tiles, now in both handmade and electronic formats, is constructed so that each roof tile functions as a page. In each page, a thought, an image, a sound, or a combination of them is inscribed as a construction of her individual memory and, with the collaboration of other Internet users, a collective memory is developed on the loss of and search for shelter. It is an artwork of great intellectual maturity, social responsibility, and undeniable sense of humanity, associated clearly with a powerful desire to create art.

Book of Roofs, both in its previous presentations and in the current *Tracajá* installation, presents the problem of the large mass of people that don't have a roof, in a pluralistic manner. First of all, it is an artistic work, therefore not a sociological essay on the theme. In this sense, it is a sensitive approach to the subject that sees this problem from all possible angles of consideration. This is the main reason why it is, above all, a work in progress: it asks for feedback from other persons – artists, installation visitors, or Internet users – from all parts of the world. And that is also the reason why *Tracajá* must be proposed as both an installation and an Internet site, since it is in these spaces that dialogue can happen.

Josely Carvalho is part of a recent generation of artists working with the Internet as a new language for two-way communication and for developing collaborative works. The possibilities of interactive dialogue opened by the Web have been appropriated by artists like her to create a new media for the arts: net art. The facility with which Carvalho's art migrates to the Internet comes from the fact that her work already has the character of the Net, since it is built upon the idea of collecting a bank of texts, images, and sounds, a kind of multimedia database. Carvalho's effort, as an open structure and a work in progress, is a process inherent to the Internet itself, and because of it, she can migrate easily to and from cyberspace.

The French philosopher Jacques Derrida said that there are two main aspects to be considered in a work of art: its *forme* (form, structure) and its *force* (power, strength). In many works, form predominates, but Carvalho's work has strength. In it, the subject matter not only is approached with an aesthetically defined form, but also with such a capacity to touch, as well as to impress, that makes it "disturbing." It has a very strong character and moves the audience. In this sense, it is not a simple work of art in a contemplative sense. It is a work that makes people think and take a stand. It asks for positioning. The works that distinguish themselves from the gigantic number of contemporary art pieces are the ones that have the force and the capacity to place their message in an efficient and strong manner.

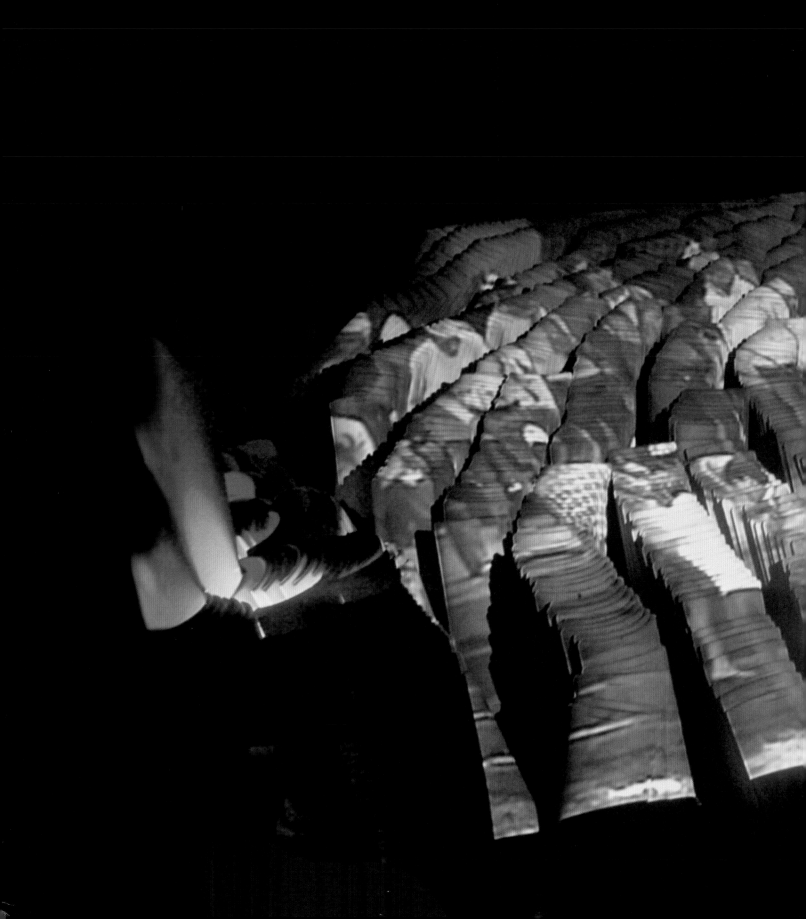

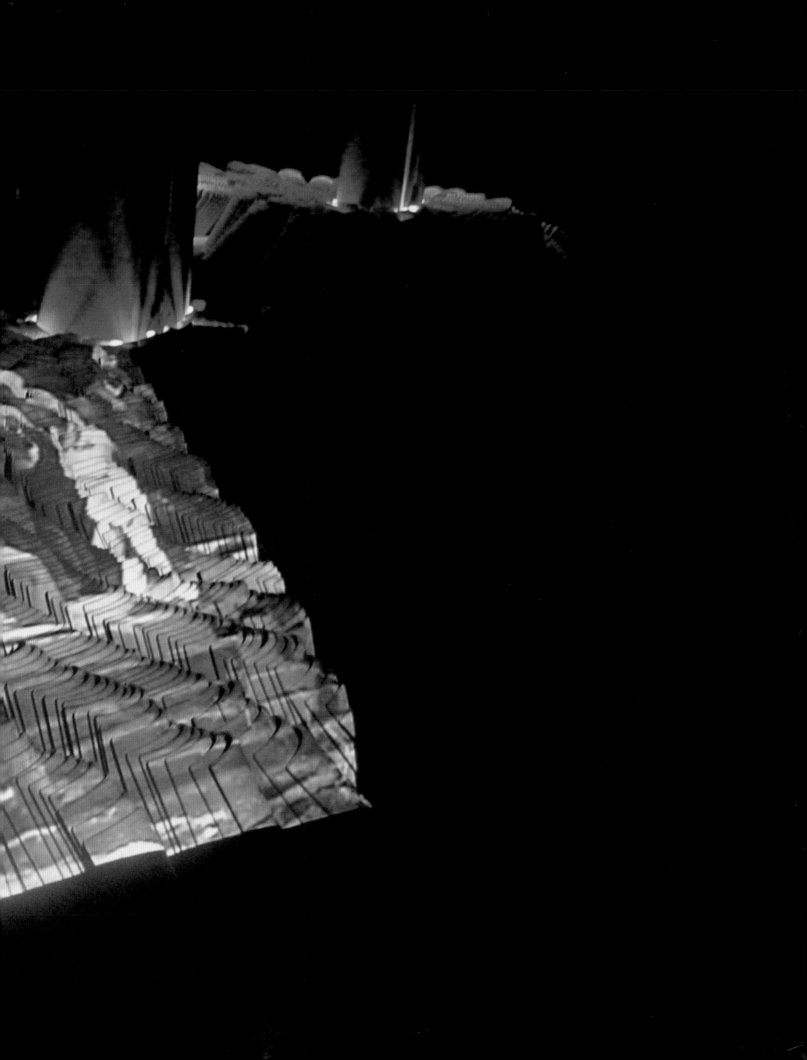

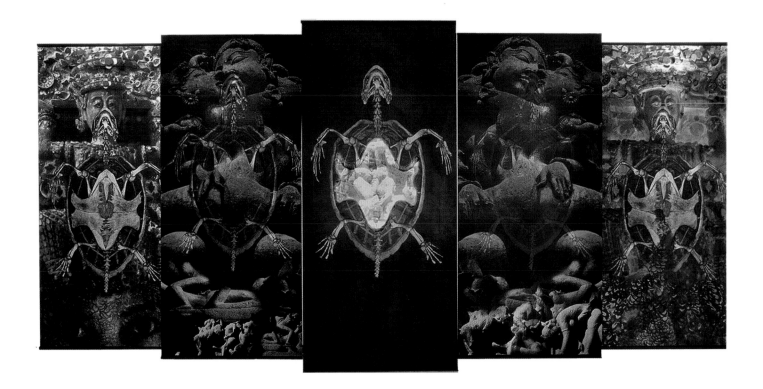

0001.Tracajá, 2002
cinco painéis fotográficos impressos,
videoprojeção e som •• five panels
printed, video projection and audio
264 x 609 cm
Edição •• Edition 1/6

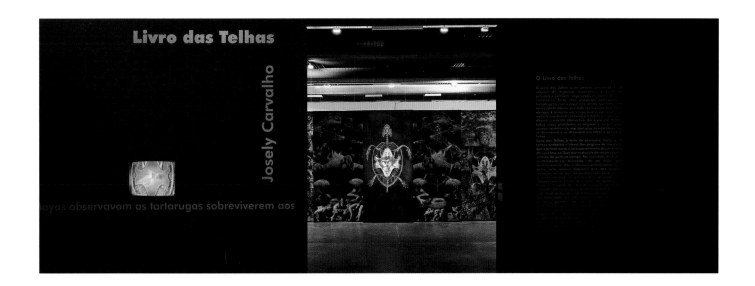

Tracajá, 2002
[instalação •• installation]
cinco painéis fotográficos impressos,
videoprojeção, som e quatro litografias ••
five photographic panels printed, video
projection, sound and four lithographs
Museu de Arte Contemporânea, MAC USP

224

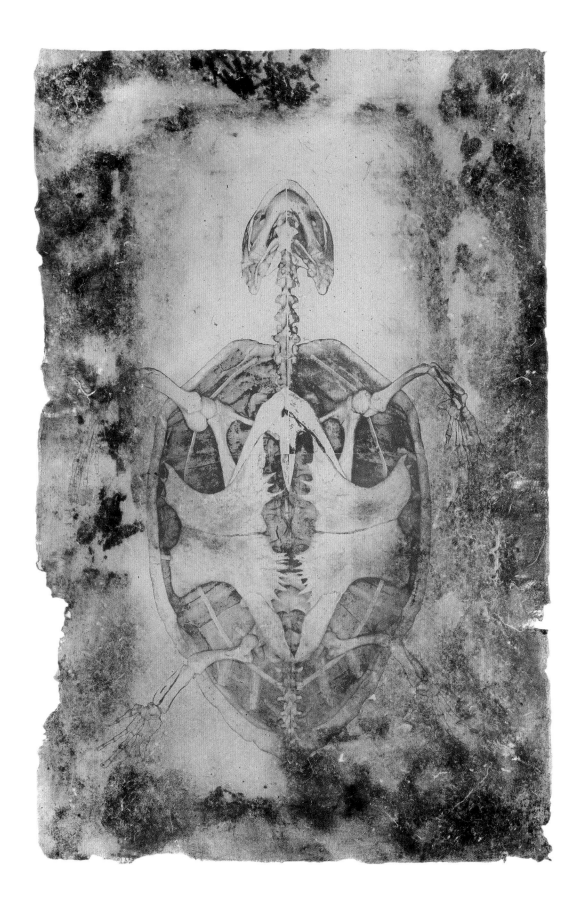

PÁGINAS •• PAGES 224–5

#0001.Tracajá 33, 2002
fotolitografia, xilogravura, Createx sobre
papel artesanal Kozo •• photolithography,
woodcut, Createx on Kozo handmade paper
182,88 x 121,92 cm
impressa na •• printed at Wildwood Press,
St. Louis, Missouri
cortesia •• courtesy Wildwood Press

#0001.Tracajá 23, 2002
fotolitografia, xilogravura, Createx sobre
papel artesanal Kozo •• photolithography,
woodcut, Createx on Kozo handmade paper
182,88 x 121,92 cm
impressa na •• printed at Wildwood Press,
St. Louis, Missouri
cortesia •• courtesy Wildwood Press

#0001.Tracajá 29, 2002
fotolitografia, xilogravura, Createx sobre
papel artesanal Kozo •• photolithography,
woodcut, Createx on Kozo handmade paper
182,88 x 121,92 cm
impressa na •• printed at Wildwood Press,
St. Louis, Missouri
cortesia •• courtesy Wildwood Press

227

Banners da exposição *Mark Making/Prints* na
fachada do Museu de Arte da Universidade de
St. Louis •• Banners from the exhibition *Mark
Making/Prints* in the facade of the Saint Louis
University Museum of Art, 2012

Vista da obra *0001.Tracajá* na exposição *Mark Making/Prints*, realizada no Museu de Arte da Universidade de St. Louis •• View of the work *0001. Tracajá* in the *Mark Making/Prints* exhibition, held at the Saint Louis University Museum of Art, 2012.

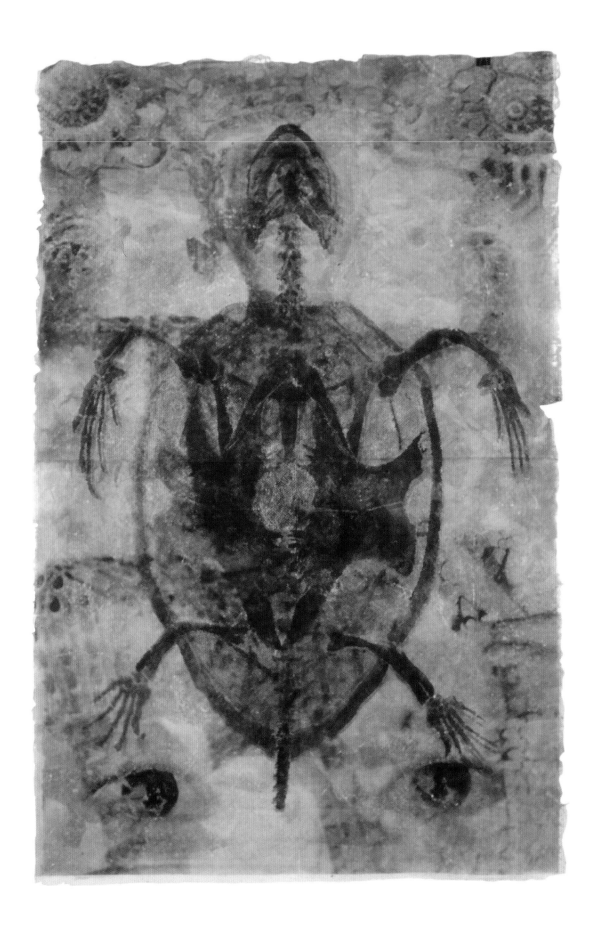

A EXPANSÃO
DOS ABRIGOS

Katia Canton

#0001.Tracajá 38, 2002
fotolitografia, xilogravura, Createx sobre
papel artesanal Kozo •• photolithography,
woodcut, Createx on Kozo handmade paper
182,88 x 121,92 cm
impressa na •• printed at Wildwood Press,
St. Louis, Missouri
cortesia •• courtesy Wildwood Press

PÁGINA •• PAGE 233
#0001.Tracajá 06, 2002
fotolitografia, xilogravura, Createx sobre
papel artesanal Kozo •• photolithography,
woodcut, Createx on Kozo handmade paper
203,2 x 140,97 cm
impressa na •• printed at Wildwood Press,
St. Louis, Missouri
cortesia •• courtesy Wildwood Press

LIVRO DAS TELHAS É UM PROJETO CONCEITUAL. Virtual e, ao mesmo tempo, pleno de materialidade. Sua matéria-prima é a telha de barro, elemento básico na construção de uma habitação, nos telhados de nossas casas e nos refúgios de nossa imaginação.

A obra é um arquivo de histórias, lembranças e memórias coletivas, organizadas em videoinstalações, com esculturas, som e projeções visuais em movimento, tratando da necessidade primária dos seres humanos de se abrigarem. É também um corpo vivo e interativo, um *webwork* que discute, provoca e redefine o espaço que acolhe o mundo cibernético. Em *Livro das telhas*, todas essas realidades se erguem e se articulam simultaneamente em camadas narrativas que se descascam e se desvelam aos olhos e gestos do leitor. Tudo se desdobra de um painel eletrônico, o *Noticiário da tartaruga*, que conecta o mundo externo, a cidade, ao mundo interno das experiências de arte e de vida, o abrigo.

Livro das telhas é uma ampla discussão acerca da sensação de nos sentirmos seguros. Na realidade contemporânea – marcada, de um lado, pela tecnologia dos endereços virtuais e, de outro, pela miséria daqueles que não têm onde morar e por guerras étnicas que provocam a privação de moradias e movimentos migratórios e clandestinos –, a noção de espaço,

THE EXPANSION
OF SHELTERS

Katia Canton

PÁGINA •• PAGE 234

#0001. Tracajá 37, 2002
fotolitografia, xilogravura, Createx sobre
papel artesanal Kozo •• photolithography,
woodcut, Createx on Kozo handmade paper
182,88 x 121,92 cm
impressa na •• printed at Wildwood Press,
St. Louis, Missouri
cortesia •• courtesy Wildwood Press

PÁGINA •• PAGE 237

#0001. Tracajá 11, 2002
fotolitografia, xilogravura, Createx sobre
papel artesanal Kozo •• photolithography,
woodcut, Createx on Kozo handmade paper
182,88 x 121,92 cm
impressa na •• printed at Wildwood Press,
St. Louis, Missouri
cortesia •• courtesy Wildwood Press

BOOK OF ROOFS IS A CONCEPTUAL PROJECT.
It is virtual and, at the same time, full of physicality.
Its raw material is the clay roof tile, basic element
in the construction of a shelter, roofs of our
homes and our refuges of our imagination.

The work is an archive of histories, remembrances
and collective memories, organized in the format
of video-installations, with sculptures, sound and
moving visual projections dealing with our basic
necessity of being sheltered. It is also a live and
interactive body, a webwork that poses questions,
provokes and redefines the space that shelters the
cyber world. In *Book of Roofs*, all these realities rise
and articulate simultaneously, in the layers of the
narratives peeled and revealed to the eyes and the
gestures of the reader. Everything unfolds and reveals
from an electronic panel, *Turtle news*, that connects
the external field, the city, from the internal field
of art and life experiences, the shelter.

Book of Roofs is a more ample discussion on our
sense of dwelling. In the reality of our contemporary
world, marked at one side by the technology of
virtual addresses and, at the other side, by the misery
of those that don't have homes, the ethnic wars that
provoke a loss of sheltering, and migratory and
clandestine movements, the notion of space, shelter,

lar, lugar onde viver, perde a habitual demarcação geográfica, desgarra-se de um ponto fixo e cai na rede elástica das incertezas geradas pela globalização.

As telhas de Josely Carvalho são teias. Teias porque mantêm uma forma circular e crescente que acompanha a incessante busca de abrigo ao longo da humanidade. E se movem em espiral como o infinito; formam um labirinto na maneira como abrem portas, expõem fragmentos e frestas da realidade, interrompem o tempo linear e revelam outro em suspensão, denso, ilimitado como as próprias possibilidades que se apresentam à experiência humana.

Livro das telhas é feito de acúmulos. Trata-se da junção tanto simbólica quanto literal das páginas de um diário que a artista constrói, teimosa e incansavelmente, desde o início de sua carreira. O trabalho de Josely sempre se baseou em seu *Diário de imagens*. Fonte primária de criação, esse diário é o repositório das percepções externas e o local em que estas são negociadas internamente e se transformam em obras pungentes. Nele está contida, por exemplo, a imagem emblemática da tartaruga, símbolo da passagem do tempo, da história impressa nas ranhuras do casco, nas telas de uma sobrevida que ressoa e se expande para abarcar a vida de todos nós. Ou a série *Cirandas*, instalação baseada em histórias reais de crianças de rua, mortas violentamente em Chicago e no Rio de Janeiro.

Josely Carvalho não desperdiça ou desconsidera qualquer experiência. O projeto *Livro das telhas* decorre da instalação *Códex: dos sem-teto*, realizada no Paço das Artes, em São Paulo, em 1997. Esta obra se compõe de três mil telhas dispostas de forma cilíndrica sobre o chão, em alusão às primeiras moradias dos nativos indígenas. Sua forma segue também uma disposição que facilita a passagem do chão para o teto, conferindo à obra de arte uma extensão do trabalho dos carregadores de telhas nas construções.

O título da instalação expande as possibilidades de leitura e atribui a "dos sem-teto" o caráter de construção da tensão. Sob a forma de denúncia social, a obra alude ao épico e indecente problema da falta de moradia no Brasil, por meio de um objeto simbólico que o soluciona. Telhas ordenadas são metonímias de lar, de abrigo, mas também fragmentos da construção das histórias da própria artista.

Outra instalação incorporada pela artista ao longo do tempo é *Sobre os Xetá 1*, realizada originalmente na Tyler School of Art, na Filadélfia, em 1998. Em um vídeo, a obra reconta as lembranças de sua infância no Paraná, em que, nas matas de araucárias, viviam os habitantes da tribo Xetá, cujos hábitos cotidianos remontavam à Idade da Pedra. Hoje, com a tribo extinta, o gado pasta sobre terras desmatadas e escuta-se falar de uma mulher xetá que ainda vive em um manicômio.

Josely Carvalho associa todas as suas vivências. Suas obras nos convidam a participar de imagens, textos e subtextos de histórias que se constroem fundamentalmente nos abrigos da memória. A força que têm reside justamente na pungência e na maneira como a artista recusa a se instalar em uma única categoria.

A obra de Josely Carvalho transborda, provoca, instiga a tudo e a todos. Elabora-se no confronto entre o acúmulo de experiências e a síntese de uma arte que reclama a vida. O abrigo nômade e físico da tartaruga, a falta de moradia das crianças de rua, a extinção das tribos indígenas, o problema da habitação popular, as guerras étnicas, a destruição de lares e o êxodo de pessoas desprovidas de um lugar para viver são instrumentos de um comentário sintético e efervescente sobre a própria vida. A artista fala em nome próprio e nós nos tornamos parte do que se obra.

place loses an established geographic demarcation; it straggles from a fixed point and falls in the elastic net of uncertainties fertilized by globalization.

The roof tiles of Josely Carvalho are webs. Webs, because it retains a circular and growing shape, accompanying the constant search for shelter throughout our history. It moves spirally as the infinite; form a labyrinth in the way it opens windows exposing fragments and cracks of reality, interrupting the linear time and revealing a time in suspense, dense, unlimited as the possibilities that present themselves to the human experience.

Book of Roofs is made up of accumulations. It deals with the symbolic and literal junctions of the diary pages that the artist builds, stubbornly and without untiringly since the start of her career. The work of Josely Carvalho is always based on her *Diary of Images*. The primary source of her work, the diary is a repository of external perceptions and the place where they are negotiated internally and transformed in pungent artworks by the artist. In it, one can find, for example, the emblematic image of the turtle, symbol of the passing of time, of the history imprinted in the grooves of its shell, canvases of an alter-life that resonates and it expands to embrace the life of all of us. In the diary is *Cirandas*, an installation constructed from the real stories of street children killed violently in Rio de Janeiro and Chicago.

Josely Carvalho doesn't dismiss or turn away from any experience. The project *Book of Roofs* originated in the installation *Codex: Roofless*, exhibited in 1997, at Paço das Artes, in São Paulo. The work is comprised of the stacking of 3,000 clay roof tiles, shown in cylindrical form on the floor, alluding to the first shelters, indigenous homes. Its format also follows a disposition that facilitates its transportation from floor to roof. It equips the artwork with an extension of the construction worker's labor.

The title of the installation expands the reading possibilities. It attributes to "roofless" the character of constructing tension. As a social denouncement, the work refers to the epic and indecent problem of shelter in Brazil, through a symbolic object that is the solution of the problem. Stacked roof tiles are metonyms of home, shelter. But they are also fragments of the construction of the artist's own stories.

Another installation incorporated by the artist is *Xetá,* shown first in 1998 at Tyler School of Art in Philadelphia. Through video language, the work re-tells her childhood memories in Paraná, when in the middle of the forests of Araucária pines, members of the indigenous group, Xetá, had habits still in the Stone Age. Today, the cattle graze on empty land, the tribe is extinct and the artist has heard that perhaps one woman would still live in a mental hospital.

Josely Carvalho incorporates all the experiences. In her artworks, we are invited to participate in the images, texts and subtexts of profound histories, built fundamentally in the shelters of memory. The strength of her work lies exactly in the pungency and in the manner by which she refuses to place it in one specific category.

The work of Josely Carvalho overflows, provokes, instigates everything and everyone. It elaborates itself in the confrontation between accumulation of experiences and the synthesis of an art that vindicates life. The physical and nomad shelter of a turtle, the lack of home for street children, the extinction of indigenous groups, the housing deficiencies, the problem of lack of satisfactory housing, the ethnic wars, the destruction of homes and the displacement of individuals without a fixed geography – all these realities are instruments of a synthetic and effervescent commentary about life itself. She speaks for herself and we become part of what becomes work.

PÁGINAS •• PAGES 238-9

Architectando: ninho de Elias ••
Architectando: Elias's Nest, 2009
[instalação •• installation]
Quinhentos galhos moldados em resina
de vidro e seis fotografias (série Bednest) ••
Five hundred ranches molded in resin glass
and six photographs (Bednest series)
Museu de Arte Contemporânea da Universidade
de São Paulo, MAC-SP

PÁGINAS •• PAGES 242-3

Passagens •• *Passages*, 2011
[instalação •• installation]
Mil galhos moldados em resina de vidro, luz,
videoprojeção, seis canais de som, programação
em computador e quatro cheiros originais,
produzidos com o apoio da Givaudan do Brasil:
Cheiro do Ninho. Cheiro de Mar Aberto, Cheiro de
Terra Molhada e Cheiro de Sol Quente ••
A thousand branches molded in resin glass, lighting,
video projection, computer programming and
four original smells produced with the support of
Givaudan do Brasil: Smell of Nest, Smell of Open
Ocean, Smell of Wet Earth and Smell of Hot Sun
Sesc São Carlos, São Carlos, São Paulo

PÁGINAS •• PAGES 244-5

Uru-ku, as disciplinas esquecidas ••
Uru-ku, the forgotten disciplines, 2011
[instalação •• installation]
Setecentos e cinquenta galhos de árvore
embebidos em cola e urucum, projeção do vídeo
Ich kann ihn nicht riechen e cheiro de urucum
•• Seven hundred and fifty branches soaked in
glue and urucum, *Ich kann ihn nicht riechen* video
projection and smell of urucum.
Curadora •• Curator Katia Canton
Galeria de Arte Casarão, Viana, Espírito Santo

Nidus Vitreo, 2010
[instalação •• installation]
Mil galhos moldados em resina de vidro, luz,
videoprojeção, seis canais de som, programação
em computador e quatro cheiros originais,
produzidos com o apoio da Givaudan do Brasil:
Cheiro do Ninho. Cheiro de Mar Aberto, Cheiro de
Terra Molhada e Cheiro de Sol Quente ••
A thousand branches molded in resin glass, lighting,
video projection, computer programming and
four original smells produced with the support of
Givaudan do Brasil: Smell of Nest, Smell of Open
Ocean, Smell of Wet Earth and Smell of Hot Sun
Curadora •• Curator Laura Abreu
Museu Nacional de Belas Artes, Rio de Janeiro

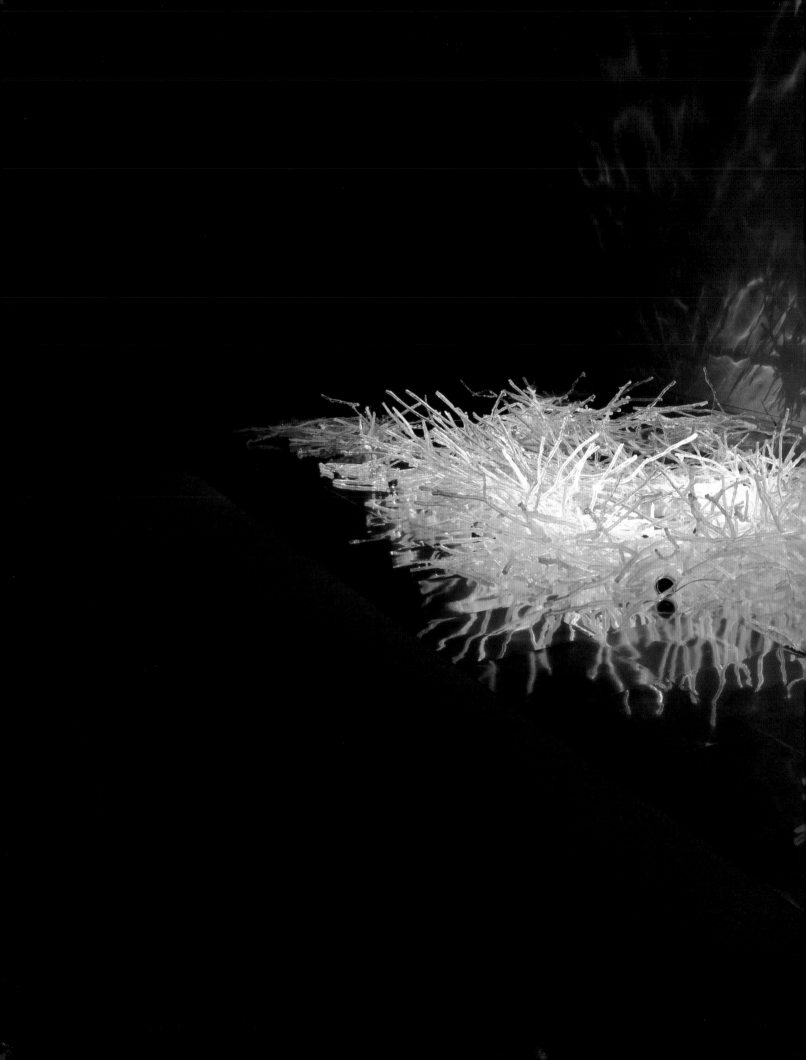

Acknowledgements

Luiz, in each sentence that I reread from your text I find new layers of your receptivity and I review my journey on the clear ambiguity that it was weaved. Your sensibility, that has been probably kept in your home/conch, opened up, finding the marks imprinted in my carapace – threads embroidered by the masculine awareness, that explores the feminine knowledge with care, letting open spaces for new readings and interpretations.

This un-comprehended comprehension offers to my path, the one which aligned space and time, memory and reality – the one which was and is mine, and, because of your appropriation, it became of everyone.

You re-tell my story – the "herstory" that I've kept hidden in the drawers of forgetfulness, insidiously imposed by the other.

I thank you, "bookmaker", for your dedication, intelligent perception and deep understanding of my artwork. Since the starting of this editorial expedition, you dived into my process of life and work, resulting in a introductory text dense of poetry and characterized by knowledge. This book, Luiz, is also yours.

I specially thank the authors for participating in this publication with generous reflections that have enlarged the perspectives of my artwork. To all of you, Julia P. Herzberg, Lucy R. Lippard, Katia Canton, Ana Mae Barbosa, Paulo Herkenhoff, Ivo Mesquita and Arlindo Machado, I am grateful for your solidarity and shared challenges.

I also want thank all the photographers, translators, copy-editors and my ever-present assistant Nina Bruno Malta. I also express my gratitude to all professionals and friends that traversed the long path to the realization of this book, in particular, Hamilton Galvão, who instigated the beginning of this path, and the writers Marcia Blasques, Cremilda Medina and Sinval Medina for their camaraderie.

To Mauricio Cella and Lucia Lisboa, and the technical experts and perfumists of Givaudan do Brasil, thank you for your enthusiasm and support for my research with smells since 2009, and to Claudia Galvão and Claudia Ciszevski for supporting my ideas as well as the possibility of encapsulating the Smell of Nest in the inserted supplement.

A special recognition for the suggestions and friendship in the conclusion of this publication, in New York, to Laura Abreu, curator of the National Museum of Fine Arts in Rio de Janeiro. And another to my son, Emiliano de Oliveira Saxe, who has accompanied the development of my artwork since childhood and continues to follow it today even with the geographical distance between us.

And finally, in memory of my companion Ernest Chanes, who for years encouraged the production of this book, but sadly, is not here with me anymore to turn the pages together. His spirit is imprinted between the lines of this book.

Agradecimentos

Luiz, em cada frase de seu texto que releio encontro novas camadas de sua sensibilidade e revejo as minhas andanças na clara ambiguidade em que ela foi tecida. Sua sensibilidade, possivelmente guardada na sua casa/caramujo, abriu-se, encontrando-se com as linhas marcadas da minha carapaça – fios bordados pelo sensível masculino, que explora o conhecimento feminino com cuidado, deixando espaço para novas leituras e interpretações.

Esse entendimento desentendido proporciona ao meu percurso, aquele que alinhava tempo e espaço, memória e realidade presente – aquele que foi e é meu, e que você, com sua apropriação, torna de todos.

Você re-conta minha história – a "hertoria" que eu guardara nas gavetas do esquecimento insidiosamente imposto pelo outro.

Agradeço a você, "fazedor" de livros, por sua dedicação, sua percepção e seu profundo entendimento de minha obra artística. Desde o inicio desta jornada editorial, você se entranhou pelos meandros do meu processo de vida e obra, e isso resultou num texto introdutório denso de poesia e marcado pelo conhecimento. Este livro, Luiz, também é seu.

Agradeço de modo especial aos autores que participam desta publicação com generosas reflexões que dilatam as perspectivas sobre o meu trabalho. A todas e todos vocês, Julia P. Herzberg, Lucy R. Lippard, Katia Canton, Ana Mae Barbosa, Paulo Herkenhoff, Ivo Mesquita e Arlindo Machado, sou grata pela solidariedade e os desafios compartilhados.

Agradeço também aos fotógrafos, tradutores e revisores dos textos, à minha assistente, sempre presente, Nina Bruno Malta, e aos demais profissionais e amigos que percorreram o longo caminho para que este livro se realizasse, em particular Hamilton Galvão, que incitou o início da jornada e os escritores Marcia Blasques, Cremilda Medina e Sinval Medina.

Sou grata a Mauricio Cella e Lucia Lisboa, e aos técnicos e perfumistas da Givaudan do Brasil, pelo entusiasmo e o apoio à minha pesquisa com cheiros desde 2009, assim como a Claudia Galvão e Claudia Ciszevski, pelo encorajamento às minhas ideias e à realização da encapsulação do Cheiro do Ninho na reprodução da gravura aqui encartada na segunda orelha.

Presto um especial reconhecimento às sugestões e à solidariedade na conclusão da publicação, em Nova York, de Laura Abreu, curadora do Museu Nacional de Belas Artes, no Rio de Janeiro. E outro a meu filho Emiliano de Oliveira Saxe, que não deixa de acompanhar minha obra, apesar da distância geográfica em que vivemos.

Por último, a lembrança de meu companheiro Ernest Chanes, que por vários anos me incentivou para que estas páginas se tornassem públicas, mas que, infelizmente, não chegou a folheá-las. Seu espírito, todavia, encontra-se gravado em suas entrelinhas.

On the authors

Ana Mae Barbosa

She received the title of Honoris Causa from the University of Pernambuco (UFPE) in 2018. She is considered the main reference on art-education in Brazil, having been the first Brazilian doctorate in Art-education at Boston University (1977). She was director at Museu de Arte Contemporânea da Universidade de São Paulo (MAC USP) and president of the International Society of Education through Art (InSea). She's a guest professor at The Ohio State University.

Katia Canton

She is a visual artist, writer, journalist, professor and curator. She received her phd from New York University. Currently, she is an associate professor of Contemporary Art at the Museum of Contemporary Art, University of São Paulo, where she is also the vice-director. As writer and illustrator, Katia has published around fifty books, receiving the Jabuti Prize for three times.

Paulo Herkenhoff

An independent curator and art critic, he was the first curator at the Museu de Arte do Rio de Janeiro (MAR). From 2003 to 2006, he was director of the Museu Nacional de Belas Artes, Rio de Janeiro. Previously, Herkenhoff was adjunct curator in the Department of Painting and Sculpture at Museum of Modern Art, New York (1999–2002) and chief curator of Museu de Arte Moderna do Rio de Janeiro (1985–1990). He was also artistic director of the 1998 24th São Paulo Biennial, São Paulo (1997–1999), and curator of the Brazilian Pavilion at the 47th Venice Biennale, Venice (1997).

Julia P. Herzberg

Ph.D., art historian, independent curator, and Fulbright Scholar. She has organized more than thirty exhibitions of artists of Latin American and Caribbean background. Dr. Herzberg's lectures, teaching, and publishing have focused on wide-ranging, cross-disciplinary, multinational, and aesthetic interests in contemporary art.

Lucy R. Lippard

Writer, curator, art critic and American activist. Pioneer in feminist art historicity and one of the first writers to recognize the "dematerialization" in conceptual art.

Arlindo Machado

He holds a doctoral degree in Communication and Semiotics at Pontifical Catholic University of São Paulo (PUC-SP), where he is a full professor in this Post-Graduate Program. He is also professor in the Cinema, Radio and Television Department at the School of Communication from the University of São Paulo (USP). His work goes from photography, cinema and video to digital media. He has published several books and has curated many exhibitions of Brazilian electronic art.

Luiz Eduardo Meira de Vasconcellos

An editor, he has followed and written about Brazilian art of the last six decades and the work of various Brazilian artists, among which Milton Dacosta, Loio-Pérsio, João José Costa, Angelo de Aquino, Manfredo de Souzanetto, Gonçalo Ivo and Chico Fortunato..

Ivo Mesquita

Curator, graduated in Journalism and Art History at Universidade de São Paulo (USP). He was artistic director at the 28th São Paulo Biennial (2008) and professor at Center for Curatorial Studies, Bard College, New York, as well as artistic director at Museu de Arte Moderna de São Paulo (MAM) from 2001 to 2002.

Sobre os autores

Ana Mae Barbosa

Pioneira da arte-educação no Brasil, recebeu o título de professora Honoris Causa pela Universidade Federal de Pernambuco (UFPE) em 2018. Principal referência no Brasil para o ensino de arte nas escolas, foi a primeira brasileira a doutorar-se em arte-educação, em 1977, na Universidade de Boston. Foi diretora do Museu de Arte Contemporânea da Universidade de São Paulo (MAC USP) e presidente da International Society of Education through Art (InSea). Professora visitante da Ohio State University.

Katia Canton

Artista visual, escritora, jornalista, professora e curadora. Recebeu o doutorado da Universidade de Nova York. Professora associada do Museu de Arte Contemporânea, da Universidade de São Paulo, do qual é vice-diretora. Publicou inúmeros livros para adultos e jovens, tendo recebido por três vezes o Prêmio Jabuti.

Paulo Herkenhoff

Curador e crítico de arte independente. Foi o primeiro curador do Museu de Arte do Rio de Janeiro (MAR), cargo ocupado até 2016. Entre 2003 e 2006, foi diretor do Museu Nacional de Belas Artes, no Rio de Janeiro. Anteriormente, foi curador adjunto no Departamento de Pintura e Escultura do Museu de Arte Moderna de Nova York (1999–2002) e curador-chefe do Museu de Arte Moderna do Rio de Janeiro (1985–1990), bem como curador artístico da XXIV Bienal de São Paulo (1997–1999) e curador do Pavilhão Brasileiro da 47ª Bienal de Veneza, em 1997.

Julia P. Herzberg

Doutora em História da Arte, curadora independente e Fulbright acadêmica. Organizou mais de trinta exposições de artistas latino-americanos e caribenhos. As palestras, conferências, publicações e aulas dadas por Herzberg têm como foco seu conhecimento multidisciplinar, multinacional e estético da arte contemporânea.

Lucy R. Lippard

Escritora, curadora, crítica de arte e ativista americana. Pioneira da historicidade da arte feminista, foi uma das primeiras críticas de arte a reconhecer o conceito de "desmaterialização" na arte conceitual.

Arlindo Machado

Doutor em doutor em Comunicação e Semiótica pela Pontifícia Universidade Católica de São Paulo (PUC-SP). Professor de Pós-Graduação em Semiótica nessa mesma instituição e no Departamento de Cinema, Rádio e Televisão da Universidade de São Paulo (USP). Seu campo de estudos abarca todo o universo das imagens produzidas por mediações tecnológicas: cinema, fotografia, vídeo, holografia ciberespaço. Autor de inúmeros livros, organizou diversas exposições de arte eletrônica de artistas brasileiros.

Luiz Eduardo Meira de Vasconcellos

Editor, tem acompanhado e escrito sobre a arte brasileira das últimas seis décadas e a obra de diversos artistas brasileiros, entre os quais Milton Dacosta, Loio-Pérsio, João José Costa, Angelo de Aquino, Manfredo de Souzanetto, Gonçalo Ivo e Chico Fortunato.

Ivo Mesquita

Curador de arte, graduado em Jornalismo e bacharel em História da Arte pela Universidade de São Paulo (USP). Foi curador-chefe da XXVIII Bienal de São Paulo (2008) e professor visitante no Centro de Estudos de Curadoria do Bard College, Nova York, bem como diretor artístico do Museu de Arte Moderna de São Paulo (MAM) em 2001 e 2002.

On the artist

Josely Carvalho, visual artist, poet, and activist, was born in São Paulo, Brazil and has lived in New York City since the late 1970s. Since 2002, she also has kept a studio in Rio de Janeiro. Over the past four decades, she has assembled a body of work in a wide range of media that gives eloquent voice to matters of memory, identity and social justice while consistently challenging the boundaries between artist and audience, and between politics and art.

Her present project, *Diary of Smells*, is an on-going cross-disciplinary sensorial project. The olfactory, a forgotten sense and yet a powerful connector to memory and emotions acts as protagonist among other typically dominant components in contemporary art. The inclusion of the olfactory – one's first experienced sense – results from her long examination of society's basic need to be sheltered in a moment in which the sense of home/nest is threatened by wars, refugee camps, migrations and the fragility of the environment – the collective shelter.

Among her grants are Pollock-Krasner Foundation, 2016–2017; Frans Masereel Print Center, Kasterlee, Belgium, 2008; New York State Council for the Arts, 2001–2002; Harvestworks Digital Media Arts Center Residency, 2001; Rockefeller Foundation's Bellagio International Conference and Research Center Residency in Italy, 2000; New York Foundation for the Arts, 1999-2000; National Endowment for the Arts, 1995-1996); and Art Matters Inc., 1992-1993. Her pioneer internet project, *Book of Roofs/Livro das Telhas* [www.bookofroofs.com], from 1999, has received grants and has been shown in several venues.

Her public works, and individual and group exhibitions can be found in www.joselycarvalho.com, as well as other information in www.diaryofsmells.com and www.youtube.com/joselycarvalho.

Sobre a artista

Josely Carvalho é artista plástica, poeta e ativista, nasceu em São Paulo, no Brasil. Vive em Nova York desde o fim da década de 1970 e mantem ateliê no Rio de Janeiro desde 2002. Nas últimas quatro décadas, sua obra incorpora diversas mídias e procura dar voz à memoria, à identidade e à justiça social, enquanto desafia consistentemente as fronteiras entre artista e público, e entre politica e arte.

Sua pesquisa atual, *Diário de Cheiros*, torna o olfato protagonista de sua obra visual e sonora. Trata-se de um projeto sensorial que atravessa várias disciplinas. A ênfase no olfato, sentido esquecido porém poderoso conector com a memória e a emoção, resulta da longa investigação de nossa necessidade de abrigarmo-nos num momento histórico em que o sentido de casa/ ninho é ameaçado pelas guerras e migrações, e pela fragilidade do meio ambiente.

Entre os prêmios que recebeu, destacam-se: Pollock-Krasner Foundation, 2016–2017; Frans Masereel Print Center, Kasterlee, Bélgica, 2008; New York State Council for the Arts, 2001–2002; Harvestworks Digital Media Arts Center Residency, Nova York, 2001; Creative Capital Foundation, 2000; Rockefeller Foundation, Bellagio International Conference and Research Center Residency, Itália, 2000; New York Foundation for the Arts, 1999–2000; National Endowment for the Arts, 1995–1996; e Art Matters Inc., Nova York, 1992–1993. Seu premiado projeto pioneiro de internet, *Book of Roofs/Livro das Telhas* [www.bookofroofs.com], de 1999, já foi apresentado inúmeras vezes.

Suas obras públicas, exposições individuais e participações em exposições coletivas podem ser encontradas em www.joselycarvalho.com, bem como diversas outras informações em www.diaryofsmells.com e www.youtube.com/joselycarvalho.

EDIÇÃO E PROJETO GRÁFICO ••
EDITED AND DESIGNED BY
Contra Capa

ENGLISH TRANSLATION
Arquivo Josely Carvalho
Lynne Reay Pereira
"À parte, de um todo"

TRADUÇÃO PARA O PORTUGUÊS
Arquivo Josely Carvalho
Jandyra Sounis de Oliveira "Enuma Elish"
Mario Mieli & Margaret Kovarick "An Overview"

FOTOGRAFIA ••
PHOTOGRAPHY
Arquivo Josely Carvalho 16, 18–9, 21, 34, 37, 40–1,
    44–7, 51, 54, 65, 119, 120, 128–30, 146, 149, 160,
    162–3, 172–33, 175, 228–9
Casey Rae/Red Elf Pgs; 13, 196–7, 199, 202–5,
    222, 224–5, 227, 230, 233–4, 237
Corrado Serra 2
Eduardo Climachauska 176–9
Fernando Bagnola 182, 185–8, 191
Guga Melgar 192, 195, 198, 200–1
João Caldas 210, 213, 238–9
João Musa 152, 161, 223
Josely Carvalho 1, 4, 6, 10, 78, 79 (acima) 92,
    95–8, 122–4, 127, 171, 180–1, 208–9, 214, 254
Luciano Bogado 22, 241, 252
Nivea Uchoa 220–1
Pat Kilgore 28–31, 33, 78, 79 (abaixo), 133, 140–1,
    154–9
Sarah Wells 48, 57–9, 62, 66, 69–73, 75–7, 80–3,
    85–6, 89, 91, 104, 107–11, 114–5, 117, 139, 143–5,
    164–7, 169
Sung Pyo Hong 242–3
Thelma de Mello 217–9
Tom Boecht 25, 244–5, 250

IMPRESSÃO ••
PRINTING
Zit Gráfica

FONTES •• REFERENCES

"À parte, de um todo" [inédito •• unpublished].

"An Overview", *Diary of Images: Ciranda*, Intar Latin
American Gallery, New York, 1993 [catalogue].

"Following the Dots". In: Josely Carvalho & Sabra Moore.
Connections Project/Conexus,1987 [catalogue].

"Visitations", *My Body is My Country*, Real Art Ways,
Connecticut, 1990 [catalogue].

"Uma narrativa da impermanência" [inédito ••
unpublished].

"A arte empática de Josely Carvalho", *MAC – Revista*,
Museu de Arte Contemporânea da Universidade de São
Paulo, dezembro de 1993.

"A Armênia em São Paulo", *Memorial Armênia*,
Companhia Metropolitana de São Paulo – Metrô, 1995
[catálogo].

"Desencantando Salmu", *Desencantando Salmu*,
Pinacoteca do Estado de São Paulo, 2007 [exposição ••
exhibition].

"A força de um abrigo", *Livro das Telhas: 0001. Tracajá*,
Wildwood Press, St. Louis, Missouri/Museu de Arte
Contemporânea de São Paulo, 2003.

"A expansão dos abrigos" [inédito •• unpublished].

PÁGINA •• PAGE 1
Olhar de deserto •• *Desert eye*, 2006
fotografia •• photography
77,5 x 106,6 cm
Edição .. Edition 1/5

PÁGINA •• PAGE 2
De ponta-cabeça •• *Upsidedown*, 2005–2012
[instalação •• installation]
fotografia [148,6 x 108 cm], lareira de mármore e
taças de vinho quebradas •• photography [148,6 x
108 cm], marble fireplace and broken wine glasses
396 x 183 cm

PÁGINA •• PAGE 6
0001.Tracajá, 2002
cinco painéis fotográficos impressos, videoprojeção
e som •• five panels printed, video projection and
audio [painel central •• central panel]
264 x 609 cm
Edição •• Edition 1/6

PÁGINA •• PAGE 8
Autorretrato •• *Self-portrait*, 2015
fotografia •• photography
60 x 60 cm

PÁGINA •• PAGE 250
Uru-ku, as disciplinas esquecidas ••
Uru-ku, the forgotten disciplines, 2011
[instalação •• installation]
Galeria de Arte Casarão, Viana, Espírito Santo

PÁGINA •• PAGE 252
Nidus Vitreo, 2010
[instalação •• installation]
Museu Nacional de Belas Artes, Rio de Janeiro

PÁGINA •• PAGE 254
Sonho de Valsa [detalhe •• detail], 2008
fotografia •• photography
54 x 110 cm

SEGUNDA ORELHA •• BACK FLAP
Sopa de ninho de pássaro 03 •• *Bird Nest Soup 03*,
2008
serigrafia sobre papel artesanal ••
silkscreen on handmade paper
58,5 x 44,5 cm

COPYRIGHT©, 2018
Josely Carvalho [imagens •• images]
Luiz Eduardo Meira de Vasconcellos, Julia P. Herzberg,
Lucy R. Lippard, Katia Canton, Josely Carvalho, Ana
Mae Barbosa, Paulo Herkenhoff, Ivo Mesquita e Arlindo
Machado [textos •• texts]

Dados Internacionais de Catalogação na Publicação (CIP)
Angélica Ilacqua CRB-8/7057

Carvalho, Josely
    Diário de Imagens – Diary of Images / Josely Carvalho. —
Rio de Janeiro : Contra Capa ; 2018.
    256 p. : il., color.

ISBN 978-85-7740-267-0

1. Arte 2. Arte – Século XX 3. Arte – Século XXI. I. Título

18-0516   CDD 700

Índices para catálogo sistemático:
1. Arte

2018
Todos os direitos desta edição reservados à
CONTRA CAPA LIVRARIA LTDA
atendimento@contracapa.com.br
www.contracapa.com.br
Tel (55 21) 2507.9448
Fax (55 21) 3435.5128

A fragrância utilizada na reprodução da gravura
ao lado foi desenvolvida pela Givaudan do Brasil
e aplicada ao papel por meio de uma tecnologia
com microcápsulas Ananse •• The fragrance in
the reproduction of the silkscreen on the right side
has been developed by Givaudan do Brasil and
applied through the process of micro-encapsulation
by Ananse.

APOIO •• SUPPORT

Givaudan